享受名牌

[美国] 黄晓 著

世界顶级品牌的历史、文化与风格

南方日报出版社

献给

<u>*刘同志*</u>

<u>*我的妈妈、爸爸*</u>

<u>*Teddy 仔和 Teddy 妹*</u>

<u>*母校暨南大学*</u>

目录

享受名牌

享受名牌

享受名牌

流行揭蛊

黄树森

时尚，其势滔滔而莫之能御，无处不在而古今皆然。

这是一个令人战栗的字眼，一个使人狂热的字眼，一个讨人嫌弃的字眼，一个让人困扰的字眼；也是一个丰富涌流生生不息、上达王宫后室下达市井无赖、入得艺术殿堂下得世俗地摊、跨时空跨地域的字眼。

这仿若一块白布染上了一滩红墨水，陶醉中的热恋者说它艳若桃花，快感中的新婚者说它喜得元红，而惊恐万状处于火灾危难中的逃亡者，则说流了好多好多的血。

这一切，都取决于对时尚的观念认同、价值取向、审美视角和心理倾向。

但人生存于时尚，发展于时尚，幻想于时尚，拼搏于时尚，确是不可逾越的生活规律。

主持人问：当今世界最具影响力的男人是谁？女人是谁？

应对者从克林顿到邓丽君一一历数之。

主持人说：不对。

一个花季少女红着脸抢答道：伟哥和伊妹儿。

还没出国哪—还没下海哪—还没炒股哪—还没成

腕哪—还没离婚哪—还没考车牌哪—还没MBA哪—

还没伊妹儿哪—还没写本传记哪—还没在郊外

给自个弄块便宜墓地哪？

有啥别有病—没啥别没钱—下啥别下岗—上啥别

上当

时尚自语，道出时尚姿容，感慨、提醒、调侃、无奈、激励兼而有之。

时尚是什么？笔者不才，试作以下戏说和诠释，它是：

消费机制与受众心理的一次联手密谋

崇拜成功与赶超新奇的一圈精神交媾

生命热能与个性勃发的一场节日探戈

提升品位和完善人生的一桩文化狡计

当代文化语境中的流行词关键词、生活行为、时尚图景、消费品位、影视媒体、资讯网络、品牌效应，大众文化、通俗文化、快餐文化、平民文化，也即人类共享着交流着传播着、频率最高流通最广或街谈巷议或奔走相告或津津乐道的人、事、物、史，都可囊括其中。它跟与之对应的精英文化严肃文化一样，或速朽或越世，自有其定数和规律。

尴尴尬尬，起起伏伏，曲曲弯弯，纷纷纭纭，造访时尚的境况和遭遇，求索时尚的奥秘和价值，是饶有兴味的，也是发人深省的。

谁亵渎时尚，如同谁冒犯了神灵，把时尚尊为九五、偶像、天王，趋之若鹜。这时尚的拥趸一族，有鲜明标志。宏观观之，据说是：(1) 电脑操作一流；(2) 渴望交流，表现欲强烈；(3) 说话很“损”，但智商很高；(4) 有自己的流行语言；(5) 崇拜成功、征服、创造力和自信力；(6) 消费上注重概念、格调、品牌和个性；(7) 在放松与放纵，要乐、兴趣与责任、使命间彷徨困惑；(8) 亦步亦趋　羊群效应；(9) 拒绝饮早茶，不会写情信。微观观之，据说体验着张惠妹的“新感觉”，画个王菲的“鬼魅脸”，唱着格格“我是风儿你是沙”，争论着“王朔战金庸”，说着“少给我克林顿”“男人吃药女人化妆”，以及管葡萄叫提子，苹果叫蛇果，得意地宣告“我这几天正在磕一蜜”，就能酷死一街人的即是。或是情感夜泊于无病呻吟，多愁善感，“伤心是一种说不出的病”，“我被青春撞了一下腰”，或是情感表演于浪漫虚幻的“多梦时节”，或认为高雅艺术不过是一群文化骗子缝制的皇帝新衣，是一律的“狗日的”。

谁沾染时尚，如同谁得了艾滋，把时尚视为大逆、怪诞、荒唐，挞伐斧斫。时尚狂飙，流行勃兴，给文场注入了三个不可移易的铁律，即尊重受众、讲求竞争、推崇平等。这种严峻情势，势必使文化创造者与传播者的界限渐次模糊和断裂，精英的文化特权面临挑战和狙击，文化发动者、创造者与追随者的角色位置有被置换甚至颠倒的可能，有的人便把自己推到一个无奈、气馁、尴尬的境况，一如既往地像皇上宠幸了一个不识抬举的嫔妃般居高临下，不可一世，一副“骂你没商量”的气焰，如骂文学极“通俗”“没劲”即是，“通俗”成了罪过，一律以“心灵癌症”棍捧横扫之。某些精英导演编剧一边喜滋滋地饮着流行电视剧的营养乳汁，一边泪水涟涟地叫屈自己被时尚“污染”。

谁拥抱时尚，谁就是品位不高、品格低下，但又涂抹时尚的蹩脚口红水粉，装扮着崇高、高雅、深沉，搅拌出一种乞讨而又反叛、不想同流合污而又浓情依恋的复合心态。这种复合心态有三种形态。一是劲往一处使地攻击“媚俗”。“俗”有群众喜闻乐见的“俗”，受众低级趣味的“俗”，有推动社会进步的“俗”，也有阻滞时代前进的“俗”，有沉沦阴暗的“俗”，也有激励高昂的“俗”。漠视“俗”的客观评判标准，总是站在高处，俯视该受教诲的“发傻”的受众们：别“被人卖了还替人数钱”。对“五亿收视率”的“俗”不探究不自省，而对“铁达尼”奥斯卡流着好长好长的口水。二是貌似高尚地推崇“媚雅”。私隐的、蛮荒的、教条的、卑劣的、阴暗的“雅”，一律“媚”之可也。不厌其烦地重复《百年孤独》那一个什么下午的开头（据说有一两百篇小说的开头在模仿），对国际电影某些潮流效仿跟风亦步亦趋，“媚”之唯恐不及，而对某些轻巧活泼尚属健康百姓喜爱的“俗”不过“媚”了一下，就大吐酸水大翻白眼。重复的“雅”，效仿的“雅”，带着“病毒”的“雅”，也比你创造的“俗”、健康的“俗”，来得高贵高尚高洁。三是犹抱琵琶半推半就式的彷徨和伪饰。追求而不得，盼等而落空，恼火而无奈，心理落差很大，一时间还找不到合适的自我确认。想拥抱时怕拒绝，拥抱之后又一边提着裤子一边大骂贱货，以及道德姿态中的“滑稽”，一知半解的“痴狂”，投机裹挟的“高雅”，都是当今某种借重时尚红得发紫的大文人的经典之作和看家本领。

时尚是一种文化。

它是现实生活的弄潮儿，每天都生产着许许多多新奇的、鲜活的创造；它是东方传统和西方思潮的异质杂交尤物；它的飞短流长、说三道四、市场搅拌、心理宣泄，在白天和黑夜的空气中，在切磋和砥砺的统合中，在生产和流通的拼搏激战中，交配繁殖，优化和诞生新的物种。

这都给哲学、新闻传播学、历史学、人类学、心理学、社会学等提供广阔生动的灵性和灵感，一个取之不尽用之不竭的现实研究文本。

这都给最具稳定性的语言学、民俗学等带来生机无限的研究空间，给精英控制的语言特权，以狙击，以反叛。

仅就流行歌曲而论，“别走”“别离开我”的痴痴纠缠，“当初”“曾经”的自我慰藉，“为什么这样对待我”的哀怨自怜，“如果”“也许”的逃避现实，是不是揭示某种市场需求，折射某种社会心理呢？

时尚也是一种文化轮回和文化推进，周而复始，生生不息，在变革中淘汰稚嫩脆弱带着“病毒”稍瞬即逝的文化因子，在积淀中孕育壮健成熟稳固凝重的文化因子。《飘》写美国南北战争中一个求爱求生存的故事，传入中国已有半个世纪，郝思嘉内心那种人类共有共享的“家园情结”“乡土情结”，早为我辈铭刻于心。它的流行程度决不逊于当今的流行歌曲和新派武侠小说。前几年，《乱世佳人》热再度兴起，显示其极为旺盛的生命力。

鲁宾逊·克鲁索早在18 世纪初由丹尼尔·笛福创造，夏洛克·福尔摩斯和波洛也在20世纪为柯南道尔和阿加沙·克里丝蒂创造，还有007、詹姆斯·邦德以及来自氪星球的“超人”，以特别的叙事策略，造就了特别的受众效应，长久而不衰，此落而彼起，构成大众文化／时尚文化一幅璀璨的图景和记忆。

仅从20世纪20年代到40年代，作为中国鸳鸯蝴蝶派小说主要文类的旧派武侠小说，便约有170多位作者680多部作品。当西方政要以阅读侦探小说和科幻小说调剂心态时，从民国初期到抗战时期，向恺然（平江不肖生）的《江湖奇侠传》，尤其是其中《火烧红莲寺》的故事，以及李寿民（还珠楼主）的《蜀山剑侠传》畅销中国大江南北，几乎家喻户晓。50年代鸳派被视为毒草，销声匿迹，80年代重新受到关注，在新派武侠小说走红的今天，新鸳鸯蝴蝶派重出江湖亦未可知。

更值得深思的是，许多大学问家都是时尚文化的追随者和鼓吹者。300年前的明代文艺评论家金圣叹就力排时俗，把《水浒传》与《庄子》、《史记》相媲美；胡适是还珠楼主的忠实读者；华罗庚更在1984年的《光明日报》撰文，称“武侠小说是成年人的童话”。

时尚是一种历史。

如果把20年前穿蓝色中山装，提鱼丝网网着的茶瓶，早上排队打鸡血针，晚上唱“打虎上山”和“表叔数不清”，与今天的穿着松糕鞋，敲敲键盘找虚拟电脑美女，早上去麦当劳找“史努比”和芭比娃娃，晚上去看小鱼儿和盖茨，作一纵的联想和比较；如果把托尔斯泰《战争与和平》中的两个主人公贵族安德烈和比埃尔这两个当时法国最流行的姓，与当今百家姓时尚版“钱赵孙李，权吴郑王”姓氏排列，以含金量度之，作一横的联接和遐想；如果把美女的标准，从30年代的柳眉杏眼，50年代的俊俏朴实，70年代的盘亮条顺（脸盘漂亮、身材顺溜），80年代纯情性感“小可爱”，到90年代的“靓”“酷”，不仅要漂亮，还要看神采和装扮，作一纵的概括和联想，不是可以获得许许多多的历史记忆和历史比较，从而深化我们对现实的理解和研究么？至于格林童话——安徒生童话——基度山传奇——鸳派小说的现实化故事化通俗化与当今言情武侠科幻小说间的一脉相承的某种玄机，那就更不待言了。

时尚是一种经济。

成为全球娱乐的美国电影，是把玩时尚最成功的典范。好莱坞的八项主义：英雄主义、理想主义、浪漫主义、人道主义、唯美主义、神秘主义、乐观主义、拿来主义；七项法规：影片品质、观众定位、品牌观念、经营销售、宣传发行、融资途经、信息统计。这“七七八八”定律，我看就是文学家、经济学家的智囊、企业家的计算和受众者的时尚（消费兴趣和内在心理需求）所铸造的铁三角的构架和统合。这会给我们许多有益的启示。

离开时尚，离开潮流，离开业已证实成功的理念和规则，离开对这一切的探究而奢谈中国文化走向市场，走向产业，走向世界，我看是很艰难的。

时尚，在近20年来汹涌疯长、不断隆升，有着深刻的文革记忆、历史记忆和文化记忆，有着驳杂的社会心理、个人心理和时代心理，打上了与日俱变与世俱新的文化流变、个性建构、都市消费的深深印记。

概而述之：

一、文革的创伤，怀旧的压抑，精神出现空场，创伤而需慰藉自我，怀想而需净化自我，以寻求新的心理补偿。

二、虚拟式的个人重塑，漂泊无根的心灵游荡，需要寻找心灵的替代和庇护，寻找自身的位置。

三、城市挤迫、激烈竞争、寂寞失落而寻觅摆脱伤感、孤立、无奈、无助的良方妙药，江湖世界、娱乐世界、休闲世界是承接个体游荡意识的最佳载体。

四、个人权欲、物欲、情欲、性欲被抑制被禁锢被搁置，时过境迁，青春不再，咀嚼已经失去的和没有来得及做的梦，“过好每一天”的精神驱动而求舒缓纾解、心理兑现。

五、在权、钱、名、利诱惑压迫下，对自身身分、自身价值和自我实现的反省检视、重新置换和确认。

六、文化上从“宏大叙事”、“宏伟理想”、英雄主义、意识形态、黄钟大吕向世俗、温婉、实惠、个人关注、自我天地的转移，探求一种新的许诺新的借助力新的生长点和新的满足感。

七、随波逐流、消闲娱乐，宣泄内心迷惑的“羊群效应”心理。

八、对传统窠臼的戏弄和僭越，对想象自由和欢愉自由的嫁接，将纸上的无尽狂欢化作对现实的批判的“狂欢节理论”心理。

等等。

求索时尚，使我们置身时尚而解构时尚，进击时尚而把握时尚，利用时尚而优化时尚，对提升时尚的历史文化含量，提高人们的文化品格和文明涵养，我认为肯定是有益的。

生物学有“群落”一说。遍居于多种层面多种空间的动物植物，借助于阳光普照和土壤资源，各取所需，各有奉献，互利互补，生物与生物、生物与环境协调成最为生动最为完善最为繁茂的“群落”，盖热带雨林也。

我们呼唤和期望：高雅文化与通俗文化共生，大众文化与小众文化并长，阳春白雪和下里巴人合唱，大巴与小巴同存，鲍参翅肚与臭豆腐咸泡菜相伴，伱你我我，来来往往，各明白自己的位置和对方的角色，各各从对方汲取营养乳汁。诚如是，则文化群落大业可兴，文化生态大业可旺也。

本系列丛书策划运作经有年矣。

本套书规模，欲以百万文字，上千图片，择时分册推出。

本套书追求，已在本序言中多有“点穴”。

本套书概言之乃：

中国近20年流行生活的全息再现，

中国近20年都市时尚的经典回放，

中国近20年大众文化的另类解读，

中国近20年图文互涉的趣味文本。

1999年12月9日，于广州

序

名牌属于每一个与美同质的人

杨苗燕

作这个序真是勉为其难。第一非德高望重的前辈，人微言轻，第二非时尚中人，对名牌可称白丁一名，竟被从作者到编者毫不客气也毫无商量地委以重任，想来想去，也只有以熟卖熟一条了。谁叫我与作者相识了20多年，且情如姐妹呢？即使相隔天涯，也属心有灵犀一点通那种。记得黄晓1987年出国后，我们就有几年音讯全无，仿佛彼此从这世界消失了一般。但1993年当一脸蓝天白云的黄晓与我在广州街头相遇时，我的感觉是我们昨天还在北京的颐和园荡舟，或者前天晚上还一同从青岛坐船去上海（这是我们在1982年做过的事）。这种朋友是可遇不可求的。不管分别了多久，心永远跳在一起，感觉永远相通，有什么比这样的友谊与情感更珍贵的呢？因此，别说要我写个序丢丢人，就是为朋友上刀山下火海，我也没有推辞的理由啊。

说起《享受名牌》这本书，我算是个始作甬者。还在几年前，我就有意和出版社的朋友一起编一套关于流行文化的丛书。从选题、作者、书的体例风格到截稿时间，我们都作了精心的安排，内容涉及时尚、流行音乐、畅销书、电脑文化等，谁知好事多磨，出版计划因故暂停，这事便搁了下来。但我心有不甘，始终揣着无望的希望去催稿。

这倒像是天意，让黄晓这个“懒虫”有了喘气的机会。实话说，想编这套书，第一个想起的作者便是黄晓。黄晓与我中学同窗，上大学前的日子，我们曾一起为《风筝飘带》、《雨，沙沙沙》、《这一瞬间如此辉煌》激动过，上大学后，我们又一同为《沉重的翅膀》、《工作着是美丽的》、《青春万岁》沉醉过。可不知是什么原因，热爱文学尤胜于我的黄晓竟然读的是“国际金融系”，且毕业后干的又是与色彩和文学毫无关系的“会计”。不过，是金子总要发光，是锥子总会冒尖。黄晓出国后，虽然谋生的负担颇为沉重，但热爱文学与艺术的天性让她始终保持着一颗敏感的心，因此，当集历史、文化、艺术于一身的时尚与名牌走进她的视野时，她毫无疑问地被深深吸引。开始可能只是美的吸引，可钻研下去，则是时尚所蕴涵的文化、艺术和优雅的生活方式与情感表达谋杀了她工作以外的大部分时间。久而久之，时尚与名牌所包涵的生活方式与意义已经成了她精神生活和价值观念的一部分（非穿、戴或用的意义上），如“爱在TIFFANY”中的深情、“肯尼迪被拒”中的原则与品格、“梦幻组合”中的脱俗情谊、“Candle in the Wind 1997”中的忧伤、“有靓无类”中的“敞开胸怀拥抱新人类新概念”、以及“自由企业精神”中的“时装转瞬即逝，而风格永存”……　这种种理念，已经远远超出时尚与名牌的领域，在精神的层面上与黄晓同在。

约黄晓写这本书，一是因为她热情，对时尚对经济对人生对一切充满热情，我历来认为没有热情的人是写不出好读的文字的；二是因为她认真，对名牌的历史她就像考古学家一样力求字字有出处；三是因为她对时尚与名牌的理解与众不同。别人看时尚与名牌通常只谈论一衣一裙一首饰一香水一皮具，以物论物，最多是不同牌子作些比较。黄晓看时尚会看历史看文化看名人与名牌的关系，还会看经济背景看人性善恶看生活方式的不同表现，特别是看到她自己的成长过程。这就使人在阅读中比较容易将离我们很远的名牌拉到自己身边。如果你已经或在享受名牌，看黄晓的享受自然悠然心会；你没穿过用过这些名牌吗？可设计、穿过或用过这些名牌的人都是与你一样真诚、勤奋、聪明、善良与美丽的人，你没有穿过、用过名牌的经验不要紧，你拥有的是与这些名牌同在的人性的光辉和文化的底蕴，因此，时尚与名牌在基本面上属于每一个与美同质的人。

约黄晓写这本书，也很辛苦。因为她真是“懒”得可以，经常有一个很好的挡箭牌：

“咱劳动人民要谋生，只有周末才可能写一下。”她从来就没有把“我把别人用在喝咖啡的时间都用在写作上”的谆谆教导放在心上。有时我一个电话打过去，问：“在干什么？”她居然说：“在后院看蓝天白云。”我惊呼：“还不抓紧高考？”（她把写作形容为高考。）她还嘴道：“如此良辰美景，叫我如何高考？”我那张脸顿时就固定在一个不知是哭还是笑的情态下。这种情形不是一次两次，而是十有八九。到了最后，我干脆就不说了，你看着办吧，高考不上，吃亏的不是在旁边着急的人，而是那个极想读大学又不愿意用功的人。事情的另一面是，在《享受名牌》纳入了“流行蛊”系列丛书之后，“催租逼债”的活就不用我再干了，由被黄晓称之为“广州黄世仁”的谭庭浩取而代之。不过，“黄世仁”还是比我强多了，不到一年，竟丰收在望了。

黄晓每写完一个牌子的故事，在向“黄世仁”交租的同时，总会CC给我，让我也品尝一下名牌背后的酸甜苦辣。喜欢读黄晓的文章，就因为喜欢她的认真与率性，当她不喜欢那个牌子时（无论牌子多么有名），写出来的东西就唯史料是崇，有卖弄知识之嫌。但一旦这牌子是她的“那杯茶”，我们就会看到一个血肉相连、妙趣横生、光彩照人的黄晓，史料已不重要，重要的是作者与牌子的关系（情感上、历史上、文化上），水乳交融的不只是文字，更是作者、读者与名牌。

承蒙好友的关照，有幸在这本书问世之前先睹为快，深感受益匪浅。感谢好友黄晓，也相信读者决不会失望，因为群众的眼睛永远是雪亮的。

2000年感恩节前，

于美国芝加哥

引子

一个BALL场新秀/烈士的教训

平生第一次去BALL，是出席美洲银行的圣诞晚餐会。

每年12月，圣诞派对（party）比比皆是，能称得上“BALL”（豪华的社交场合）的，只是凤毛麟角。连我们的邻居（每年一家）都举办圣诞派对，请整条街的街坊参加，可见圣诞派对之普罗大众化。

但是，当我们在10月中旬收到邀请，出席当年美洲银行的圣诞派对时，立即有一种去BALL的“诚惶诚恐”。因为，美洲银行是美国最大的银行，《财富》杂志上排名11强的企业。更吸引的是，这个派对在美洲银行总部的总裁餐厅（executive dining hall）举行。

我热爱建筑。美洲银行总部大厦，是一幢玻璃、不锈钢和大理石外墙的63层建筑物，非常的简洁、现代。但是，它的尖尖的顶部，是4层（60层至63层）不锈钢的纯装饰结构，看上去就像一个皇冠。到了晚上，整幢大厦灯火通明，楼顶灯光璀璨，真像一个白金和钻石制成的皇冠，发出耀眼的光芒。每次看见这个大放光芒的“皇冠”，我都享受非常，深深赞叹这幢现代和古典风格完美结合的建筑。现在，我们就要去它的（实用空间的）最高一层——59楼吃圣诞晚餐，咱“贫下中农”能不诚惶诚恐、能不兴奋莫名吗？

最让我们诚惶诚恐的，是晚宴的服装要求（dress code）——正式服装。如何理解这个“正式”，简直是一场无标准答案的时装考试。穿得太隆重，不符合咱贫下中农的身份；穿得不够隆重，似乎衬不起《财富》11强企业的总裁餐厅。

我首先想到的是一袭纽约设计师Carolina Herrera的黑色天鹅绒无袖及膝裙，毫无花巧，非常的简洁低调。不过，这袭裙子有一个自然低垂的高领子，露出衬里的柔和而又鲜艳的颜色——有粉红、粉紫、粉蓝和粉绿多个版本选择；此外，裙脚开衩处也露出一点点同色的衬里。就这么低调而又妩媚的一条黑裙，是那年秋冬季所有欧美名牌时装展中，给我印象最深、最令我心仪的一袭裙子。但是，我所在的城市，没有Carolina Herrera的专门店或代理。难道要我为一条裙子专程飞去冰天雪地的纽约一次吗？我们刚从纽约回来不久呢。最后还是懒字占了上风，放弃了这条心水首选裙子。

虽然离圣诞派对还有两个月，但也要密锣紧鼓买衣服了。果然就在买衣服上中了招：没有找到一袭合适的裙子。只好穿家里现成的一条裙子了。这是我的第一个教训——衣服要在平时有心情、有时间的日子里买，匆匆忙忙是买不到合适衣服的。这就是为什么，每个名牌都有时装预售展览，让顾客在每季开始前，就按各人的社交计划挑选衣服。

在挑选衣裙的同时，配件也不敢怠慢。一旦决定了那条款式极简洁的深蓝色缎质裙子，就要为它配手袋。幸好我心目中已有一个Louis Vuitton的淡粉红色漆皮小手袋，它的体积之小，非常符合"晚上"的要求。它和裙子一样有光泽，线条、款式也是一样的现代简洁。而且，它出自新上任的美国设计师Marc Jacobs的手笔，出自我最喜欢的Monogram Vernis系列。非常有惊无险地，这个小手袋尚有存货。同样有惊无险的，是一条深蓝色的天鹅绒披肩。至于鞋子，和裙子的命运一样："临急受命老当益壮"。最后，最重头的首饰，是各人自由发挥的广阔天地，高调的、抢眼的，或低调的、含蓄的，甚至无胜于有的，悉听尊便。我的选择是：Less is more（少就是多）。

去派对，化妆和发型是很重要的临门一脚。我由于平时不化妆，上阵时当然要找化妆师当救兵。刚好我用惯用熟并喜欢的那个牌子的化妆师那天休息，所以她介绍另一位化妆新秀代替她。到我化妆完毕时，已时间紧急，来不及看一眼镜中的自己（也幸好没看），就直奔银行总部去也。

美洲银行总部大厦的首层，是一个包括歌剧院、音乐厅、芭蕾舞剧院在内的表演艺术中心。我来过这里看莫扎特歌剧。演艺中心的中庭，是一个七、八层楼高的巨大空间。那天晚上，那里人声鼎沸、人头涌涌——美洲银行的盛大员工圣诞派对正在那里进行。平时挂满彩色剧目条幅的中庭，换成了无数条金色珠链，像瀑布一样从顶部往下倾泻，真有一种黄金之水天上来的气派。

我们绕过人群，换乘一次电梯，才到达总裁餐厅。一进门，已觉得为服饰所费的周章大大超值——对热爱室内设计的贫下中农来说，能亲眼看总裁餐厅的内部装潢，真是大开眼界、十年不逢一闰的难得机会。世界级大企业的总裁餐厅，给我印象深刻的是橡木板装饰的内墙，非常的“公司”化，非常的贵气和端庄。但因为是圣诞期间，在贵气端庄的背景下，到处是大大小小的圣诞树和西式的圣诞“盆景”，使气氛变得非常温馨亲切。金、银、红、绿是圣诞节的颜色，当然还有代表雪的白色，从餐桌布置到窗幔，一片金碧辉煌、一片喜气洋洋、一片富贵华丽。我觉得自己就像刚进大观园的刘姥姥，同时又像漫游仙境的爱丽丝。

约二十人的小型晚餐会，每三对夫妇坐一桌。餐桌上的话题自然离不开房子、汽车、股票、健身、夫妇相敬如宾之道等。记得邻座一位男士，回忆起他从前在DEC工作时的光辉岁月，真让众人羡慕不已——出差时配偶免费同行、假期时海滨免费度假。遥想当年的DEC和IBM，是电脑业中的贵族。只是，有了微软和INTEL，格局才被打破。后来，DEC更被COMPAQ收购。看如今，电脑业英雄豪杰各领风骚只有三几年。虽然都是我感兴趣的话题，但我常常抽空游离在话题之外，尽量多看这个城市的万家灯火和万家圣诞灯饰，多么温暖、多么美丽、多么和平的、连绵不绝的灯火啊！

西餐，从来不是我的那杯茶。我对那晚的食物已印象全无。但是，那些精美的银制和水晶餐具、赏心悦目的餐桌布置，还有那些年轻英俊、比模特儿还要模特儿的餐厅服务员小伙子，让我至今难忘。我们在“皇冠”的底部进餐，抬头看，是俊伟的年轻小伙子——英气可餐；往下看，是无边无际的圣诞灯海，真是一览众山小。

曲终人散之后，我们回到家里。卸妆时，我赫然看见一张夸张无比的、浓妆艳抹的、陌生的脸出现在镜子里，像普契尼的歌剧《蝴蝶夫人》里的巧巧桑一样！天呵，这个陌生的美国化妆师，她把东方人都倒进"蝴蝶夫人"的模子里！我看着我眼帘上那年非常流行的银白色眼影，真是欲哭无泪。顷刻间，我这BALL场新秀就变成了BALL场烈士！

这是我的第二个教训：要么在自己的脸上勤练化妆，要么发展至少两个以上的相熟的化妆师。

去BALL的日子，我的衣着"思想觉悟"跌至舒服至上——别指望我会牺牲钱包、精力和舒适去捧名牌的场。我最喜欢穿着纯棉或麻质的廉价衣服，带着我的绒毛娃娃儿子Teddy和绒毛娃娃女儿Chanel，在后院的露台上看瓦蓝瓦蓝的天空，看白色的高尔夫球车在绿草地上飞来飞去，或者看书、看杂志，看别人的华丽隆重，养自己的眼。

这本书，就是我的蓝天白云和眼福。

CALVIN KLEIN

现代人的心情、品位和空间

心情

虽然CALVIN KLEIN个人曾被美国《时代》周刊誉为对时尚最具影响力的人物之一，CALVIN KLEIN这个牌子又被权威市场调查公司列于美国最受欢迎名牌的前茅，但我从未迷恋过这个牌子。曾有些零星的喜欢，也只是偶有火花一闪念。

CALVIN KLEIN拥有不少造型气质和形象定位都很年轻、很都市、有形有款又很Cool的香水，例如1985年面世的Obsession(魅力)、1988年推出的Eternity（永恒）以及1995年的Escape（逃离）香水。从其羡煞同行的销量上，就可看出它们深得现代都市人的心。CALVIN KLEIN还有那些少年不知愁滋味的、劲力十足的、玩中性、玩这玩那玩得兴高采烈的香水，例如cKbe、cKone。但不知为什么，它们全都不是我的那杯茶(not my cup of tea)。

终于到了1997年的圣诞节期间，我对CALVIN KLEIN热烈起来——频频到CALVIN KLEIN的香水专柜打听:"Contradiction(矛盾)香水什么时候开始发售?"答曰:"快了，请留下姓名电话，香水一到马上通知。"接着，就看到不同字迹的一大串和我一样"迫不及待"的准顾客名单。哇，看来同道中人还真不少。不过，市面上的香水几乎汇成川流成河，Contradiction凭什么先声夺人?——呵，原来，凭的就是你我她的"矛盾"心情。

20世纪90年代的女性，无论是女强人还是小女子，内心多在传统与现代之间拔河。从小到大，只觉得男女平等天经地义，上一所好大学然后有一份好职业，工作得心应手，出差公干乘飞机坐商务舱住五星酒店，工余消费娱乐AA制，独立自主风光无限。然而，在潇洒和

成功的背后，却有一份对生活事业一肩挑双重压力的厌倦，向往着回家弹琴种花生儿育女，做个从容优雅的贤妻良母。现实却是：上有老下有小需扶养，中间有自己需要安全感和经济自由。因此工作万万丢不得。于是心情只好继续矛盾下去。想想女子无才便是德的时代，没有矛盾是因为没有选择，才知矛盾其实是福气是进步。何况，还有清新体贴的“矛盾”香水呢！

如此煞食的卖点，也被CALVIN KLEIN把握住了。难怪Contradiction（矛盾）香水一出——呵，不，应该说，还在“香水未动，广告先行”的时候——即大受欢迎。要赢得顾客口袋里的金（钱），首先要赢得顾客的心（情）。

Contradiction（矛盾）香水，一种给传统重新下定义的香水，赢尽现代职业妇女的心（情）。它的香水瓶设计，也令香水瓶爱好者击节欣赏。

品味

看惯了巴黎那些花团锦簇、神秘妖艳、千娇百媚的名牌时装，一骤眼看 CALVIN KLEIN 的时装设计，可真不容易习惯——这也算时装？根本就没有设计可言嘛。但是，且慢，君不见：从 CALVIN KLEIN 的大本营北美洲，到时尚的傲人之都欧洲，到原先对欧洲潮流奉若神明的亚洲大洋洲南美洲，CALVIN KLEIN 的时装、香水、手表、手袋和其它配件以及家庭装饰品，如入无人之境，横扫紧贴潮流一族的钱包。不仅紧贴潮流一族对 CALVIN KLEIN 亦步亦趋、季季紧跟，就连那些高职厚薪有钱有品味的事业型男女成功人士，也对 CALVIN KLEIN 的出品爱不释手。何解？

无需暴露，却尽现真实的骄人身段。

无它，世界变了，审美的标准变得更自由更健康更海阔天空了。

从前的衣着哲学，是为了美观可以千般万般地扭曲委屈人的身体，华衣美服之下很可能玄机处处：隆胸、束腹、扎肚皮，不一而足。现如今，世界潮流兴健美，健身房里韵律操此起彼伏，人行道上跑步或疾走的一路和小鸟打招呼，简直觉得自己已融进蓝天白云绿草里，社区或自家后院的游泳池里呼朋唤友，网球高尔夫球场上白球衣白球裙扬起的是生命的赞歌——天那么蓝，云那么白，草那么绿，鸟儿唱得那么欢，空气那么新鲜，阳光那么灿烂！此时不锻炼，更待何时？！有了健康的身体和骄人的身材，谁愿再去做时装牺牲品？谁会白白浪费了这梦寐以求的健康和美丽？谁会再让美好身段“养在深闺无人识”？

于是，CALVIN KLEIN那种简约舒适而又显现真实身材的时装风格登场了，而且将老中青各个年龄组一网打尽——从最高贵斯文的主线CALVIN KLEINcollection到青春无敌的副线之一CKjeans。穿CALVIN KLEIN，可以让你展露你自然的、健康的、充满阳光气息的身段，你无须涂脂抹粉的飞扬神采，你阳光灿烂的衣着品味和人生态度。

阳光灿烂的衣着品味：加拿大超级名模Linda Evangelista穿着一袭Calvin Klein白色长裙，畅游中国漓江。

我不穿CALVINKLEIN，谁穿？！

"我不穿CALVIN KLEIN，谁穿？！"

最先吸引我的是1995年的奥斯卡颁奖典礼上，演员Sarah Jessica Parker穿的那一袭CALVIN KLEIN黑色晚装。Parker是舞蹈演员出身，因缘际会到好来坞发展，功成名就。那次Parker是作为颁奖人登上奥斯卡奖台，她穿的CALVIN KLEIN无肩带低胸直筒紧身长裙，几乎是CALVIN KLEIN时装设计的最佳样板：简单得不能再简单，似乎就是贴着Parker的身体来剪裁，尽显Parker玲珑浮凸的美好曲线。要知道，Parker在好来坞，以完美身材著称，常常出现在各种时尚和生活杂志的封面。这样身材绝佳的窈窕淑女，不穿CALVIN KLEIN，简直是暴殄天物。有一句豪言："我不下地狱，谁下地狱？"充满了牺牲精神。但如果要求Parker套用这个句型练习造句，她一定会表达她对自己身材的骄傲，那实在是太贴切了："我不穿CALVIN KLEIN，谁穿？！"

因主演《恋爱中的莎士比亚》(Shakespear in Love)而在1999年荣登奥斯卡影后宝座的好来坞新一代一线女明星Gwyneth Paltrow，过去几年一直是以演技、事业上的进取心和衣着品

公认的CALVIN KLEIN女郎Paltrow，以一袭两色CALVIN KLEIN长裙，出席1999年金球奖颁奖典礼。

味占据影视新闻的头条位置。Paltrow广受赞誉的从休闲到正式场合的穿戴，基本上由CALVIN KLEIN一手包办。因此，Paltrow又被称为CALVIN KLEIN女郎。1997年美国VH1音乐电视台时装奖（VH1 Fashion Awards）颁奖典礼上，Paltrow荣获年度最佳衣着品味女性奖。VH1时装奖是在北美和西欧极具影响力的、观众面极广的、叫好又叫座的流行音乐和时装大奖。Paltrow十分看重这个奖项，对获奖异常开心。她在奖台上致词时，以"我非常感谢CALVIN KLEIN，没有CALVIN KLEIN就没有我的这个奖"开头。领奖时，Paltrow自然是穿着一件CALVIN KLEIN出场。富弹力的无袖紧身黑色长裙，低调简约的设计，衬托出Paltrow青春满溢的体态和神采。

新的美学原则在崛起——青春满溢的Paltrow，穿一身CALVIN KLEIN晚装出席1996年奥斯卡颁奖典礼。

含蓄地养眼

在简约主义(minimalism)的时装设计风格之上，如果再加上一点点的韵致、一点点的亮丽，那种出人意表的效果，很可能产生充满新鲜感的佳作——另类地妩媚、含蓄地养眼。

CALVIN KLEIN就是含蓄地养眼的大师。

CALVIN KLEIN的妩媚——加拿大超级名模Linda Evangelista穿着这袭粉红色鸡尾酒裙，进入《时尚》排列出的1995年春夏季最美丽的粉红色阵容。

1995年的春夏季，高级时装界弥漫着浓厚的怀旧气息，五、六十年代最负盛名的时装设计大师GIVENCHY和他的最有名的顾客奥黛丽·赫本，成了不少时装设计师该季的设计灵感来源。GIVENCHY是鸡尾酒裙(cocktail dress)历史上的一座丰碑，1995年春夏季鸡尾酒裙的复归，是怀旧大潮中最瞩目的一朵浪花。那一年的CALVIN KLEINcollection里面，就有一款非常怀旧、非常50年代的鸡尾酒裙，细吊带一字领ALine式样，至少有黑色和粉红色两个颜色的版本。

英国名模Kate Moss以一袭粉红色的CALVIN KLEIN鸡尾酒裙登上美国版《时尚》的封面。

1995年7月号的美国版《时尚》杂志封面，就是粉红色版本的这袭鸡尾酒裙，穿在年轻而又当红的英国超级名模Kate Moss身上，一派俏丽可爱。不过，千万别以为CALVIN KLEIN的设计有“年龄歧视”——只能在年轻人身上穿得好看。人到中年的美国版《时尚》杂志主编Anna Wintour，就穿着同款同色同样的裙子，出席该年的慈善筹款拍卖会The Seventh On Sale。The Seventh On Sale是美国时装界一年一度的最大型义卖活动，出席者包括了时装界的精英大腕和社交界的名媛名流。这一袭粉红色缎子细吊带鸡尾酒裙，穿在这位世界级的时尚评论界大姐大身上，不仅（无意中）示范了中年妇女（从40岁到60岁这个年龄组）如何得体地穿着——既简洁健康又充满女性魅力，更显示了CALVIN KLEIN在时尚界的地位——《时尚》杂志的主编是穿什么的？全是世界顶级名师的杰作，还得通过世界最权威的审美眼光的筛选！

空间

CALVIN KLEIN为我们布置的"家"。对着这个"家"，我不愿上班、不愿出门、不愿离家半步，只想唱起那首英国歌曲《家，可爱的家！》。选自CALVIN KLEIN家居系列处女作。

去时装名店或打开时尚杂志，自然会见到CALVIN KLEIN的时装、香水、手表、眼镜、内衣裤系列、化妆/护肤品，还有鞋和手袋钱包等配饰。不过，当你踏入家具和家居用品名店，若看见一些风格和牌子名称与CALVIN KLEIN时装相同的作品，请勿怀疑自己的眼睛。从1995年起，CALVIN KLEIN连你的家居摆设和氛围也照顾到了。

对于我们芸芸众生来说，床上用品就是床铺被枕。但在CALVIN KLEIN的眼里，床好比人体，被子床单枕头就是衣裙，床上那套英式早餐餐具就是首饰。云想衣裳花想容，你是怎样从头到脚妆扮自己的，就怎样布置你的床。

至于你的卧室、书房、客厅，尤其是你的餐厅，绝对不会成为"被CALVIN KLEIN遗忘的角落"。因为CALVIN KLEIN的家居用品系列，餐具、茶具、咖啡具和桌布、窗帘、沙发垫以及家具、灯具、装饰品应有尽有。关于家居用品系列，CALVIN KLEIN说，他要把时尚带进家里，把时尚带到床上，把时尚搬上餐桌。在54岁上，CALVIN KLEIN想搞搞新意思。家居设计，成了他的世纪末终极镖靶。

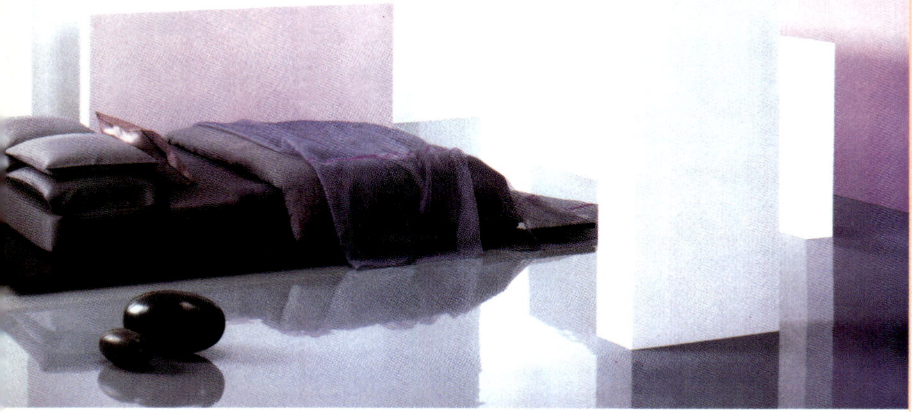

明镜般的地板、浪漫的淡粉红色的半截墙壁，低调简洁的床的造型和颜色，CALVIN KLEIN的简约主义彻底到卧室。
选自CALVIN KLEIN2000春夏季家居系列广告。

把时尚搬上餐桌（左），把时尚带到床上（右）。
年青一代的有型有款人士，为什么那么喜爱CALVIN KLEIN的家居用品系列？这就是答案。
选自《时尚芭莎》09/95。

美国版《时尚》杂志的现任主编Anna Wintour说：CALVIN KLEIN就是“拿走一切多余的东西”。是的，他拿走了我们家里的都市喧嚣，留下了宁静；他拿走了一切繁文缛节和烦扰，把个人空间还给我们。这不比贴上森林山泉图案墙纸那种“真实谎言”更高明吗？看CALVIN KLEIN的homeware系列，真有一种空谷幽泉的感觉。

其实，“矛盾”香水的瓶子设计，也折射出CALVIN KLEIN家居设计的特色，那可是现代派风格的立体典范，也是我最喜爱的香水瓶造型。当我第一次见到CALVIN KLEIN的homeware系列陈列室，才真正服了CALVIN KLEIN，服了简约主义。我尤其喜欢他的卧室设计和餐桌设计，当时心里涌上两个字：life style（生活方式）。

出位广告

Calvin Klein，现代派生活方式掌门人。

若要评选时装史上最成功的市场推广策划，CALVIN KLEIN必定是坐亚望冠。惟一有实力和他竞争"冠军"宝座的对手，是GUCCI的设计师TOM FORD。这两位不相伯仲的marketing（市场推广）天才，不仅广告策划亲力亲为，本人更散发着迷人的气质，让名牌市场相信：CALVIN KLEIN就是简约主义、就是现代派；而TOM FORD就是GUCCI、就是怀旧的未来主义。

波姬小丝的CALVIN KLEIN牛仔裤广告——世界上第一条名牌设计师牛仔裤的诞生。选自CALVIN KLEIN广告。

商学院里的MBA课程，尤其是市场学（marketing）这门课，实在应该提及CALVIN KLEIN的经典广告：70年代，年仅15岁的波姬小丝（后来的好来坞红星），身穿CALVIN KLEIN牛仔裤，在电视上展现她的无敌青春和天使面孔，广告词是"猜猜在我和我的牛仔裤之间有什么？什么也没有！"广告一面世即获好评如潮，欢呼的是世界上第一条设计师名牌牛仔裤的诞生，以及广告的性感、纯洁和创意无限。而广告的主角——牛仔裤，更攀上每周售出40万条的高峰。

虽然时尚圈内人每提及CALVIN KLEIN的威水史，必提波姬小丝的牛仔裤广告，但我更喜欢他的cKBe广告：一位20世纪90年代的帅哥，有着哈姆莱特王子同样的忧郁，问着和王子同样的千古难题——"To be or not to be?"然后一个昂首挺胸："Just Be！"立马从忧郁王子摇身一变成为早上八九点钟的太阳。籍一瓶cKBe香水，莎士比亚和现代派生活方式掌门人CALVIN KLEIN在时光隧道里握手言欢。

现代爱情故事

简约主义在20世纪90年代成为时装的主流，CALVIN KLEIN居功至伟。从来没有人像CALVIN KLEIN这样，穷30年时间，为现代派生活方式作定义，并使之成为集体意识。他不仅引导现代女性重新思考我们的职业形象，还有我们的餐桌风情，更有我们约会时的气味——香水选择。

1986年，美国时装设计师协会（CFDA）颁奖给好来坞现代派衣着先驱之一——凯瑟琳·赫本，CALVIN KLEIN作颁奖人。他的颁奖词是："努力工作独立自主的女性从不惧怕舒

CALVIN KLEIN的日装：精致的开司米纯羊毛衣料，淡雅简洁的线条，现代都市女性的最爱。为什么时尚传媒把Calvin Klein誉为King of New York(纽约之王)？因为Calvin Klein的日装，代表了现代职业妇女的都市风情。

CALVIN KLEIN的晚装：现代简约本色不改。
好来坞片酬最高的女演员Julia Roberts(《漂亮女人》和《诺丁山》的女主角）就是又一位CALVIN KLEIN的忠实顾客，常以CALVIN KLEIN晚装出席各种电影颁奖礼和首映式。

现代露背风情。这袭裙子被美国版《时尚》称为1995年秋冬季的“终极小黑裙”。

CALVIN KLEIN的舒适出游——在威尼斯的“贡多拉”小船上，和着船工唱起意大利歌曲《我的太阳》？《重归苏连托》？《负心人》？

穿“小黑裙”的CALVIN KLEIN女郎。

CALVIN KLEIN的晚装，不仅青春满怀的新人类喜欢，中年人照样被迷倒。以气质优雅和充满文化气息在好来坞打开一片天空的演员Kristin Thomas(奥斯卡名片《英国病人》的女主角)，也是“迷倒”大军中的一员。

适。”舒适自如，正是CALVIN KLEIN也是美国时装的原创风格。

CALVIN KLEIN说：“美国妇女是世界上最醒目、最性感、最忙碌、最智慧的妇女，她们不仅站在时装的最前列，还站在所有新潮事物的最前列，并影响了世界。我就是为妆扮这些时代女性而设计。”

CALVIN KLEIN舒适的绿色周

在这不易被广告打动的时代，CALVIN KLEIN高超的赞美技巧如此了得，活脱脱的现代爱情故事——爱你没商量。对这份“爱的宣言”，时代女性们受落非常，不知不觉中全盘接受了CALVIN KLEIN的整套生活方式。

这是CALVIN KLEIN的成功，也是时代女性的成功。

CHANEL

（上）

问世间 为何物

梦的初恋

Chanel 在 1923 年

不知为什么，对 CHANEL，就是有说不出的喜欢。

一想起 CHANEL 这个牌子，想到的就是"妇女解放先锋，名媛贵妇制服"。但是，这只说出了 CHANEL 在高级时装界无人可以企及的地位，在互动关系的另一面——CHANEL 的消费者和爱好者们，是如何感受/享受 CHANEL 的呢？

直到有一天，看到美国版《时尚》杂志采访三位名女士，才明白全世界时尚人民对 CHANEL 的"人同此心、心同此爱"。

第一位，流行音乐天皇巨星、好来坞巨片《泰坦尼克》主题歌《我心永远》的演唱者、加拿大歌手 Celine Dion。她的"CHANEL 第一次"，是一双鞋和一套淡粉红色的套裙，那是 1994 年。"CHANEL 很昂贵，所以我不能犯一般的购物错误。但那不是我的表演服装。我只在舞台下、在我的真实生活中，穿我的 CHANEL 初恋。CHANEL，是每个女人的梦想。"

Celine Dion 和她的"梦的初恋"——淡粉红色的 CHANEL 套裙。
选自《时尚》03/97。

呵，原来，Celine Dion 不仅是红遍全球的顶级歌星，还是才女一名。另两位名人再怎么说，也黯然失色了。有关 CHANEL 的书籍、纪录片、时尚杂志上的文章，简直浩如烟海。CHANEL 作为时尚圈内外的话题，将继续热门下去，永不过时。而全世界时尚人民对 CHANEL 的爱恋，无论是名媛贵妇年年季季的热恋、普罗大众的暗恋、阮囊羞涩者的苦恋，还是Celine Dion 这样的明星加才女的初恋，一切的一切，皆因"CHANEL 是每个女人的梦想"！

问世间情为何物？情是时装！

妇女解放先锋

虽然Chanel 作为时装设计师 Gabrielle Coco Chanel 的姓氏，在 20 世纪的高级时装界，公认是最具影响力的鼎鼎大名。但 Chanel 本人和她以自己姓氏作为名字的时装名牌 CHANEL，影响却远远超出时装界。无论是否女权主义者，无论知否 CHANEL 这个名字，20 世纪的女装都受惠于 Chanel 的开创性设计——现代女装，是从 CHANEL 开始。可以说，现在我们每个当代女性每天都在穿 CHANEL ——穿她的款式和设计思想。

20世纪初，在Chanel 开始她的女服事业前，欧美妇女仍生活在爱德华风格中。她们的紧身上衣拖地长裙，华丽却笨重，束缚妇女的身体，影响行动的自由。CHANEL 的设计，把这种剥夺妇女自由的"要靓不要命"的传统一扫而光。她的女装款式简洁，风格自由，实用而又斯文，舒适而又典雅，是那种让妇女或款移玉步、或大步流星，从家庭迈向社会，迈向工作场所，迈向社交场合的时装。Chanel 的设计思路是：让服装美化妇女的体态，但无需付出身体被摧残、自由被剥夺的代价。

说到妇女解放先锋，一个毫无女性魅力的、被误会的刻板形象可能立即跳将出来。但这不是Chanel。在本世纪初讲究门第和等级的男权社会中，Chanel 以一个贫苦孤儿的身世，如何杀出森严的等级重围？这得归功于她的天生丽质、她的性格魅力和掌握自己命运的强烈愿望。更重要的是，Chanel 并不甘于做当时一般意义上的淑女——整天盛装盛妆周旋在达官贵人身边，时刻准备着嫁入豪门。魅力没法挡的Chanel，从青年、中年到老年，裙下之臣非富则贵，若非富贵则艺

50多岁的Chanel仍魅力没法挡：Chanel在家中，由Horst拍摄。这是Chanel自己最喜欢的照片，以一幅照片表达整个CHANEL形象：黑色衣裳、丰富首饰，在50多岁上，Chanel“躺”在她的名气、权力和美丽的巅峰上。
选自《CHANEL》。

术才华横溢，因此她的一生爱情生活色彩斑斓。自信的、智慧的Chanel从没依附在任何权贵或金钱上，但她的视野、品味和高超的公关技巧，却大大得益于她的社交生活。

在她的年轻的女友们都忙于并成功地嫁入豪门之时，Chanel却显露出她的女帽和女服设计的才华和雄心。1910年，在她终生挚爱但后来英年早逝的爱人Arther Boy Capel的支持下，Chanel开始了以自己名字命名的女帽和时装生意。同年，Chanel以她的款式简洁但做工精致的套装，轰动了作为社交重地因而充满了拖地长裙宫娥装的赛马场。

1916年，Chanel把本来被渔民用以制作工作服的针织衣料引进高级时装领域，并设计她的独家针织面料，制作富于弹性和穿着舒适的夹克、外套和裙子，吸引了大量有钱有闲阶层的女顾客。Chanel用这种"贫下中渔"的衣料，制成贵妇们热爱的服装，是时装史上最著名的"贫困的富饶"。

Chanel解放妇女的针织裙子。
选自《20世纪的时装偶像》。

正是这些被Chanel点石成金的针织裙子史无前例的长度，才首次让妇女露出了脚踝，从此妇女行走自如。于是，Chanel宣称："我解放了妇女，我给了她们行动的自由。"

问世间自由为何物？自由是时装！

小黑裙

1926年，Chanel设计出优雅而又简单的黑色连衣裙，美国版《时尚》杂志称之为"小黑裙"。

小黑裙的关键在黑色的妙用。黑色，可活泼可端庄、可神秘可奔放、可华丽可简单、可高贵可低调，简直成了“万有引力”的颜色。从此，小黑裙成为妇女衣柜的精华、必备品、“基本法”、点睛之笔和压轴之作，引得无数后辈设计师在小黑裙的复制和创新上竞折腰。Chanel 本人更被美国版《时尚》杂志誉为“时装界的福特”。自福特发明汽车生产线以来，人类生活空间和速度的变化，可谓天翻地覆、沧海桑田。那时，比尔·盖茨还没出生，不然，Chanel 的另一头衔可能是“时装界的盖茨”。

美国版《时尚》还预言：小黑裙，将成为一切有品味的妇女的制服。因为小黑裙的低调高贵，给有个性有光彩的女子提供广阔的发挥空间，使形象更个人化、更能挥洒气质和容貌的魅力，真正是不著一字、尽得风流的时装版。是的，自身容貌气质不佳的人，用我们中国人的老话来说，就是“穿起

小黑裙的诞生——Chanel 亲身示范第一条“小黑裙”。
选自《小黑裙》。

龙袍也不像太子”，何况穿起低调的小黑裙？所以还是回到那个基本点：自身的气质和形象是一切华衣美服的起点。Chanel 是绝顶聪明的明白人，她说：“舍赫拉查德（《一千零一夜》的女主角）是容易的，小黑裙则很困难。”

舍赫拉查德，不就是野兽派画家马蒂斯晚年剪贴画《一千零一夜》里的主题吗？那种色彩斑斓和鲜艳缤纷，难怪Chanel 把她作为鲜艳和华丽的代表。记得在洋插队的艰苦岁月，曾经罕有地“豪气”了一回——买了昂贵的门票，穿起漂亮的衣裙，去博物馆看美国艺术收藏大家巴恩斯医生的藏画展览。巴恩斯医生自发明防腐剂之后，坐收巨额专利使用费，得以专心收藏和保护名画，是世界上最著名的艺术收藏家之一。那个画展有莫奈、梵高、赛尚、马奈、毕加索和马蒂斯等大师的作品，我

CHANEL 小黑裙引无数后辈竞折腰：Chanel 的后辈、小黑裙大师 GIVENCHY 1995 年告别时装 show 上的一袭小黑裙。选自《小黑裙》。

最喜欢的就是马蒂斯的作品。他有一幅画里的大海的深蓝色，是我见过的最美丽的深蓝色！而且，那份狂野和奔放、那份想什么什么就是画的自由，最是我的那杯茶。

其实，我这个美术盲也不知道马蒂斯是否野兽派，只是从小“旁听”到我爸爸和他的老朋友、书法家和油画家吴子复伯伯的对话。他们常常提起马蒂斯和野兽派，我爸爸还给吴伯伯的书法作品贴上“野兽派”的标签。吴伯伯家的“斋”名就叫“野意楼”。还在我上小学前，吴伯伯送给我四幅西洋剪贴画，鲜艳而又大气、美丽而又独特的画面现在想起来还清晰可见。那曾是我大学时代（最有闲情的时代）恨不得挖地三尺也想找回的剪贴画。这么多年来，去过那么多的博物馆和美术馆，却从来没见过这么美丽、这么“野兽派”的剪贴画了。或许，记忆中的东西最美丽？

Chanel，我的记忆闸门被你的至理名言冲开，只好一边哼着“舍赫拉查德”主题，一边飞身下楼翻出里姆斯基－柯萨柯夫的《舍赫拉查德交响组曲》。那个小提琴奏出的、温柔得令人不可置信的“舍赫拉查德的主题”，就飘荡在我周围。自大学毕业后，我再也没心情听过这首交响组曲。尘封了十几年的录音带、尘封了十几年的青春岁月，就这样被 CHANEL 唤醒。

我想，爱时装，就是爱生命。本来享受着离童年和青春十万八千里的名牌 CHANEL，兜兜转转，还是回到了享受童年和青春的老地方。

投奔舒适、投奔自由

现在我有点明白，我为什么这么喜欢 CHANEL 这个牌子了。CHANEL 的时装，从里到外，满满的都是生命、都是自由。Chanel 最为人推崇的是，她把女装的线条放宽松，解放了妇女的身体，引起一场时装舒适化的革命。她的起点是为自己设计衣服，她就是 CHANEL 这个牌子的最佳模特儿。她热爱户外活动，所以她的设计中常见骑马装、水手装、阔脚裤、运动型夹克和真丝衬衣。她还发明了百褶裙。

Chanel以这件运动型夹克出席一个婚礼，帅气非常，开一代风气之先。选自《CHANEL》。

Chanel 还在女服设计中大量借用男装的面料和线条，却从不失女性的妩媚。她曾对她的朋友、超现实主义画家Dali说，她“把英国式男装中的阳刚气概‘拿来’，并使之变成女性化的女装”。

和不少设计女装的男设计师相比，CHANEL 的设计首先是取悦自己的身体，而非刻意强调女性身体的曲线来取悦男性的眼睛。在 20 和 30 年代的保守社会里，Chanel 就穿着这些舒适而又优雅的设计，活跃在工作和日常生活中，更活跃在巴黎的社交场合。那时的 Chanel，集美貌、智慧和事业成功于一身，成为巴黎社交界光芒四射的明星。Chanel 剪了短发，巴黎的社交名媛贵妇们就首次接受并流行短发；Chanel穿的裙子长度缩短了，名媛贵妇们就淘汰了长裙。大力倡导短发和舒适女装的 Chanel，是真正让妇女“改头换面、投奔自由”的潮流开创者。

1933 年夏天的体育赛季，Chanel 和朋友在蒙地卡罗。她的形象，从发型、衣裙到首饰，都代表了她大力倡导的自由舒服风格。
选自《CHANEL》。

CHANEL 的“英国时期”设计，时为 1933 年。
选自《CHANEL 时装娃娃》。

名媛贵妇制服

CHANEL这个名牌中的名牌，从1910年创立以来，至今已90年了。在这90年中，最受欢迎、最著名的就是CHANEL套裙。1928年，Chanel首次用花呢制作套裙。她的第一批套裙所用的花呢，是在苏格兰特别订制的。苏格兰的花呢是花呢世界之最，这从一个侧面解释了CHANEL极简单的款式，为什么会卖出极昂贵的价钱。从此，套裙成了CHANEL的招牌和经典：黑、白、灰、米和赤橙黄绿青蓝紫各种色调的苏格兰花呢，加上镶边、明袋、金钮扣和直身裙，构成独特鲜明的CHANEL风格，令人一望而知，绝无表错情会错意之虞。

身穿粉红色CHANEL套裙的肯尼迪夫人，在总统遇刺当天步下总统专机"空军一号"。
选自W01/01。

在遇刺前，肯尼迪总统（左）、第一夫人（中）在总统的敞篷座驾上。
选自《罕见的优雅》。

CHANEL套裙贵气而又温文尔雅，穿着它，自己舒服，同时对别人没有侵略性。它不挑战穿着者的身材和个性，只挑战穿着者的气质和钱包。也因此，CHANEL套裙问世几十年来，只在细节上作细微的变化，却仍吸引着世界各地各种不同肤色种族的顾客 每季像朝拜或收藏似地去购买，历70年仍稳坐全球名媛贵妇制服的宝座。

美国人印象最深的CHANEL出品，是1963年11月22日肯尼迪总统遇刺时，第一夫人身上的粉红色CHANEL花呢套裙，那上面沾着总统的鲜血。

在遇刺前，肯尼迪总统（左）、第一夫人（右）在总统的敞篷座驾上。
选自《杰奎琳，纪念一位伟大的女性》。

对世界各地的"希茜公主"罗密施奈德的影迷来说，最难忘和最喜欢的CHANEL出品，当然是她在1970年的电影《BOCCACCIO70》中所穿的粉蓝色CHANEL套裙。罗密施奈德在影片中扮演一个任性而又有品味、有魅力的意大利女贵族。Chanel本人很少跟她的顾客交往，但对"希茜公主"，她却非常喜爱，总是"有时间"和"希茜公主"会面。那一年，Chanel已经87岁高龄。一年后的1971年，Chanel去世。

进入80和90年代，CHANEL更获得戴安娜王妃的青睐。戴妃是20世纪的美丽、亲民和慈善的代表形象之一，全世界的戴妃迷印象最深的CHANEL出品，是她所穿的天蓝色白圆点CHANEL花呢套裙。无独有偶，这三套分别出自60、70和90年代的CHANEL套裙，都与同

罗密施奈德穿CHANEL套裙的《BOCCACCIO70》剧照。她的美丽和女性化，胜过所有CHANEL的专用模特儿。选自《CHANEL》。

穿CHANEL套裙的戴安娜王妃。选自《戴安娜，一本个人相册》。

色圆筒型帽子配套穿着，非常60年代，令时尚有心人回味无穷。

配饰女王

Chanel是开创风格的圣手。她曾有一句名言，充分体现了她的衣着美学："如何配衬和穿着衣服，比穿什么衣服更重要。"

CHANEL的衣服裙子式样简单，就给了配饰极大的发挥空间。同一套衣服，经不同的配饰和不同方式的衬托，可穿出不同的情调

1992年秋冬季的CHANEL，彻底贯彻CHANEL配饰的精彩传统。

和效果。Chanel认为：传统的以贵金属镶嵌天然宝石的珠宝，与生俱来就有一种不因时空改变的永恒和华贵的丽质，可以为佩戴者塑造高贵的形象（当然，佩戴者本人必须是"可造之才"）；而材料相对低廉的人造流行饰物，装饰性强、可塑性高、又可消除佩戴者和观者之间的距离。因此，Chanel喜欢将这两类原本泾渭分明的配饰混合佩戴，让它们各自各精彩，同时又统一在CHANEL优雅明快的风格下。这种真假混合佩戴的方式，在Chanel发明它的时候，相当的新鲜和大胆，令传统人士侧目不已。不过，经Chanel之手点石成金的真假混合佩戴法，几十年来却令名媛淑女们趋之若鹜。

Chanel亲身示范珍珠项链配小黑裙。那份型与格，真的前无古人。选自《CHANEL》。

所有配饰中，Chanel最爱的是珍珠。真真假假的珍珠，长长短短的珠链，层层叠叠的戴法，成了CHANEL配饰的标志。Chanel本人更常亲身演绎这种佩戴法。经Chanel之手搭配的珍珠项链，让低调的"小黑裙"顿时光芒四射，使文雅的CHANEL套裙立刻贵气四溢。Chanel甚至用重重叠叠的珍珠项链，配衬针织衫、纯棉衬衣、水手装、骑马装和阔脚裤，完全打破了珍珠只能表现淑女的文静温婉这个传统的框框。珍珠从此变成动静皆宜、活力和斯文集于一身的"崭新"饰物。

除珍珠外，Chanel还钟情于金光灿烂、色彩斑斓的人造宝石和金属首饰。或硕大或精细的饰件、或长或短的项链、或宽或窄的手镯，鲜明地贯彻着Chanel本人的"人造首饰也华丽"的审美观，也使CHANEL这个年近一个世纪的经典牌子，始终散发着浓浓的现代气息。

人造首饰也华丽——Verdura为Chanel制作的镶嵌彩色水晶的镀漆金属手镯。选自《CHANEL》。

其实，这也是Chanel多姿多彩的人生在她事业上的投影。在Chanel挚爱的男朋友Capel意外去世后，Chanel的新任男朋友——俄国的Dmitri大公——登场了。正是这位品味不凡的沙皇近亲，把Chanel带进拜占庭风格艺术和巴罗克风格首饰的辉煌世界中。CHANEL的首饰和配件，从此有了那份夺目的华丽。但CHANEL又是独特的，充满了原创精神的。从30年代起，Chanel和意大利的首饰设计师Verdura公爵合作，创作了大量流芳至今的CHANEL首饰。

Chanel和Dmitri大公在一起。
选自《CHANEL》。

香水——大众的豪华

孤儿Chanel之所以成为名牌CHANEL，她拥抱新事物的宽广胸襟居功至伟。1921年，Dmitri大公的一位化学工程师朋友发现了一种香水，Chanel立即买下，冠以“CHANELNo.5”的名字推出市场。正是这一新意思，使Chanel成为时装设计师兼营香水的第一人，更使Chanel成为终身百万富豪（今天的百万不可和80年前的百万同日而语）。

CHANELNo.5香水。

CHANELNo.5香水长方形的瓶子，线条极简单，和CHANEL时装简洁文雅的气质非常吻合。自面世以来，这个瓶子一直是深受立体派风格启发的装饰派艺术的偶像之一。

Chanel重视香水。她知道，CHANEL时装动辄数千美元，这世界上能穿得起的人是少数。但是，一瓶售价六、七十美元的香水，许多普通人都负担得起。香水，成了普罗大众进入名师设计世界的钥匙。Chanel除了享受着她的富人阶层追随者的顶礼膜拜之外，也为她的并非富裕阶层的崇拜者扫除了最后的心理障碍——

她说："香水是可以负担得起的豪华。"

系出名门，CHANELNo.5的香水广告设计也创意非凡：长方形的香水瓶倒放在地上，变成碧波荡漾的游泳池，阳光灿烂的池边，是从头到脚CHANEL式打扮、手拿香槟的悠闲女郎。如此美妙的人生，自然是每天营营役役、为口奔驰的芸芸众生的梦想。

虽然一小撮众人皆醉我独醒的有识之士从不为任何广告所动，但CHANELNo.5香水却是历史上销售最成功的香水。Chanel本人在世时，CHANEL走的是舒适明快优雅的贵妇路线，和性感风马牛不相及。但是，正是一位20世纪的超级性感女神，让CHANELNo.5插上了翅膀，飞遍了世界。1955年，在一次采访中，好来坞性感偶像玛丽莲·梦露被问及穿什么睡觉。梦露答："CHANELNo.5。"这无心插柳的回答，传遍了世界上所有有CHANEL香水卖的地方，成了CHANELNo.5最深入人心的形象，也令广告公司们自叹弗如："这样独特的'桥段'，为什么我们就想不到呢？"当然啦，谁让你不是玛丽莲·梦露？

玛丽莲·梦露和CHANELNo.5香水。选自《CHANEL》。

自由企业精神

CHANEL是名牌中的名牌，CHANEL的成功是时装传奇中的传奇。这传奇不仅吸引着时装史研究者、时尚评论界和传媒，也吸引着CHANEL的顾客、准顾客和崇拜者。追溯到Chanel的创业源头，她当时的男朋友Capel功不可没。

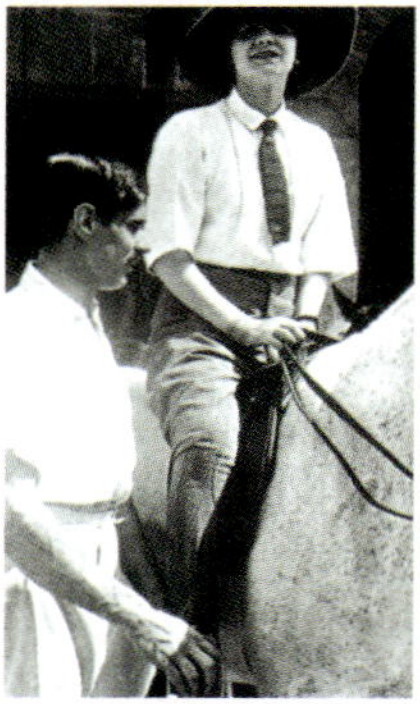

骑马中的Chanel和Capel。
选自《CHANEL》。

和Chanel本人一样，Capel也是私生子。这在当时的社会，属于背景出身不够高贵的阶层。Capel在英国长大，靠煤炭业发家致富，是当时商界的活跃人物。在当时的欧洲社交界，Capel被称为"法国最有名的英国人"，但这些仍未足以让他进入贵族阶层。据Chanel的后人和Chanel的传记作者回忆，Capel和Chanel是同一类人。他们之间除爱情之外，更有自力更生同道中人的相互欣赏。1910年，Capel资助Chanel在巴黎和海滨旅游胜地Deauville开始时装事业，成为时装史上识英雄重英雄的佳话，最为后世津津乐道。

Capel对Chanel时装生意起步的金钱支持，随着Chanel事业的成功，而成为巨大的投资回报。1919年圣诞节前，Capel车祸身亡。这对Chanel打击惨重。她后来回忆说："1919年我从名气冲天中醒来，发现自己失去一切。"事实上，Chanel的时装生意在Capel生前和死后都如日中天，"失去一切"足见Capel对Chanel精神和感情世界之重要。不过，让Capel及其后人始料不及的是，Capel的"英名"与CHANEL这个名牌连在一起，名垂至今。

Chanel和Capel这两个没有显赫家世的私生女和私生子，在本世纪初还相当看重家底背景的社会中，如何自立创业并脱颖而出呢？答案是自由企业精神。正是追求公平市场竞争和契约制度的自由企业精神，造就了包括Chanel在内的一代又一代的平民企业家，使等级特权社会逐渐向更文明更进步的公民社会演进。

第二个春天

Capel去世成了Chanel生命中最痛的创伤。此外，Chanel的事业也曾经历过一个冰冻期。那是第二次世界大战期间，Chanel关闭了她的时装店，只留下香水店继续营业。直到二战结束9年后的1954年，CHANEL时装才重新回到人间。这次Chanel的重出江湖，受到法国时装评论界和传媒千里冰封式的"冷处理"。和当时大行其道的奢华隆重的复古时装风气相比，简洁的CHANEL套裙有如逆水行舟。那时，Chanel已是71岁高龄的老人了。这个年纪，已不能承受任何失败了。但是，Chanel是一位真正的时装巨人。对那些冷言冷语冷眼，Chanel是"顺我者听，逆我者忘"。她坚信现代妇女需要她的时装，而不是华丽隆重却行动不便的复古衣裙。她说："我创造了二十世纪的时装，引领时装达四分之一世纪，我属于这个时代。"

CHANEL的吉卜赛晚装，出现在1939年Chanel关闭她的时装店前的最后一个系列中。
选自《CHANEL时装娃娃》。

50年代末，Chanel为“希茜公主”罗密施奈德试衣。无论时尚传媒对Chanel态度如何，“希茜公主”总是CHANEL时装的爱好者。

果然如Chanel所料，她的复出是一场排山倒海式的胜利——虽然不在她的祖国法国，而在大西洋彼岸的美国。美国人从传媒、时装评论界到时尚名店，都对CHANEL时装、皮鞋、配饰和解放双手的挂包报以热烈赞扬和疯狂购买，保证了CHANEL的第二个春天降临在一片鲜花的原野上。1955年，即是复出后的第二年，Chanel到美国，接受时尚名店Neiman Marcus的创办人Neiman Marcus颁发的时装大奖——时装的奥斯卡奖。Chanel本人和她的时装一样，在美国受到英雄式的欢迎。美国时尚传媒给了CHANEL风格一个亲切的名字：CHANEL LOOK（CHANEL形象）。这个名字，随着英语和美国文化在全世界的普及，变得神采飞扬、无远弗届。

渐渐地，法国传媒和时装评论界开始接受CHNEL、唱好CHANEL。终于，CHANEL再次冲上了时装的高峰。这出CHANEL重出江湖的大戏，让我想起中国现代史上著名的“农村包围城市”理论。在现代西方时装史上，它的翻版叫做“美国包围法国”。

CHANEL风格的经典：白色缎子衬里的黑色CHANEL套裙。选自CHANEL 1956年春夏季。选自《CHANEL时装娃娃》。

妇女解放与世界顶级时装名牌，似乎是风马牛不相及的两回事。前者在社会学家的专著里，在政治家和女权主义者的演讲里，在奔波于事业与家庭、厅堂和厨房之间的当代妇女的疲惫焦躁的心里。而后者，却出现在冠盖云集、衣香鬓影的社交场合里，在流光溢彩、星光熠熠的杂志和报纸的时尚版、社交版里，在远离现实的时装发布会的天桥上。但是，这风马牛不相及的两回事，却神奇地统一在CHANEL这个名字上，统一在CHANEL风格上。

La mode passe,mais le style reste——时装转瞬即逝，而风格永存。这是Chanel本人给风格下的定义，也是CHANEL这个名牌的魅力所在。

问世间风格为何物？风格是CHANEL!

CHANEL

（下）

穿CHANEL的女人

CHANEL真是说不尽道不完。

CHANEL的夜歌——1938年6月美国版《时尚》刊登的CHANEL薄纱晚装。
选自《20世纪的时装偶像》

既然是名媛贵妇制服，CHANEL自然是在BALL场（豪华的社交场合）上亮相率最高的服饰。只要打开报纸杂志的社交版，CHANEL从不缺席，无论是衣裙、首饰、手袋，还是香水、鞋子、手套。

BALL场上自然不乏容貌秀丽身材出众、品味高尚、气质优雅的人。不过，不少气质品味平庸甚至粗俗但钱包不平庸的人，也把CHANEL当作“救生圈”和“护身符”，无它，CHANEL是出名的斯文贵气。于是，自信心不足的、生怕在BALL场上行差踏错的，穿上CHANEL就如同买一送一地穿上了一份安全感；至于那些要让自己立竿见影地速成为“名媛贵妇”的，更把CHANEL当成“化腐朽为神奇”的灵丹妙药，而且是速效特效药。

BALL场中人既然把CHANEL奉若神明，有时就免不了当季热门款式我穿你穿她也穿，出席同一社交场合的雷同“撞衫”的尴尬场面。1994年，香港的BALL场上出现一则平头百姓认为不过是“茶杯里的风波”而“上流社会”则群情激昂的社交新闻——一位自认高贵的女士，穿了一袭粉红色的CHANEL套裙出席一个社交场合，而出席同一场合的一位女电影演员，也穿着一模一样的CHANEL套裙。论年龄相貌，女演员占尽青春和美貌的绝对优势；

论身材的曼妙，两者不相上下；说到气质，那位高贵的女士是享有盛名的才女，在BALL场上以优雅的仪态和品味著称，更是城中公认的穿CHANEL的高手。如此一来，那位女演员就成了名媛阔太们虽不点名但绝不客气的批评靶子，更有宣布“若CHANEL再出售衣服饰物给这些演员，我们就从此罢穿CHANEL”的豪言壮语声声入耳。接着，还引起对这些女演员收入来源的质疑：“穿CHANEL？怀疑你的收入与支出不相符呢！若不是傍大款傍富豪，你哪能穿得起CHANEL？”

然而，当代社会是一个多元的社会，现代文明崇尚宽容和自由的价值。穿衣打扮纯属个人自由，调查收入与支出是否相符，则是税务局或廉政公署或反贪局的职责。至于“罢穿CHANEL”，很快便风息浪止。是呵，CHANEL是如此吸引，“罢穿CHANEL”只会是阁下自己的损失。在商言商，CHANEL的专卖店又怎会自堵客路拒所谓地位未够高贵的顾客于门外？

Chanel爱英式男装。这是她（左）和朋友1928年的男装照。这些借来的男装，主人是当时富甲欧洲的英国Westminster公爵、Chanel长达十年的恋人。
选自《CHANEL》。

只是，这场“撞衫”风波更令人怀念Chanel本人。从地位卑微的贫苦孤儿到受到富贵阶层热烈追捧的时尚女王，Chanel在通向成功的路上不知遭受多少白眼和歧视，其过关斩将过程中的辛酸又有谁知？若九泉下的Chanel知道类似的“撞衫”风波，及其引起的对地位高低、职业贵贱、财产多寡和气质优劣的争论，不知会有何感想？

其实Chanel自己曾有过与富贵分道扬镳的经历。

在和俄国的Dmitri大公分手之后，英

国的Westminster公爵走进了Chanel的生活，这一缠绵就是10年。这位公爵不仅出生于地位高尚的豪门望族，而且更是当时英国最富裕的人。他曾经让Chanel在他的伦敦豪宅之一举办时装发布会，让英国人有机会一睹CHANEL时装的风采。那是CHANEL时装首次大规模渡过英吉利海峡，轰动非常。Chanel在那10年里，深深感受到巨大财富的威力，以及一个显赫家世和姓氏带来的超然地位、孤独感，还有与现实的距离感。

CHANEL白天的歌——经典的CHANEL套裙，穿一辈子也不会过时。
选自《CHANEL》。

Chanel曾经这样评说："Westminster公爵本身就代表了优雅。他从来没有什么新添置的衣物，我不得不为他买一些鞋子。他的外套和夹克可以穿25年之久。"这些几十年前的评论，即使今天听来也是纯粹Chanel式的。想想那些经典的CHANEL套裙，70年来款式变化并不大，只在细节上稍作变化，却依然充满了现代感，依然优雅。连那些以穿遍世界各顶级名牌时装为己任的社交花蝴蝶们，也盛赞经典款式的CHANEL套裙"穿一辈子也不会过时"。

10年后，Chanel和这位巨富公爵终于互说再见。但这对CHANEL时尚王国毫无影响，Chanel

的审美观照样是时尚的指南针，CHANEL 时装和配饰仍是 BALL 场上最受名媛阔太欢迎的"硬件"，对想进入"上流社会"的准名媛来说，CHANEL 式的打扮依然是"入门券"。可见，高贵并非只有天生一途，来自社会底层的Chanel，设计创造了20世纪时尚的富贵标准，英雄何惧问出处？自30年代后期Chanel和富贵甲欧洲的公爵分手以来，60多年又沧海桑田地过去了，CHANEL 这个牌子一路高歌猛进，时至今日，仍名闻天下，笑傲时尚江湖。只是，若非Chanel的个人魅力和创业史至今仍吸引着无数时尚发烧友，有谁会提及、会记得当年富甲天下的Westminster 公爵？

戴安娜王妃1988年访问法国时，出于外交礼节，要穿一袭法国设计师的出品。戴妃的选择是CHANEL大衣和帽子配CHANEL挂包。

选自《戴安娜——活在时装中》。

在穿 CHANEL 的千军万马中，常常会看见一些自身气质和 CHANEL 的优雅明快风格配合得天衣无缝的高手，引人情不自禁地赞叹：这才是真正的 CHANEL LOOK！原来，穿 CHANEL 说难不难，只要你有钱就行；穿 CHANEL 又说易不易，没有那份修养和气质，免不了被有识之士划入"穿起龙袍都不像太子"之列，如上述那位女电影演员。CHANEL 是如此昂贵，这不是花钱买罪受吗？钱，倒是身外物，人类对美和高贵的追求，从不言倦永不言休，所谓"千金散尽还复来"。但是，这世上也有钱买不到的东西，例如修养，例如气质。怎么办？答案从Chanel的名言中找："有人认为豪华是贫穷的反义词，但我认为，豪华是粗俗的反义词。"Chanel从贫寒到高贵的一生，给无数并非含着银匙出生的普罗大众一份希望——高贵也可以"原创"，形象的高贵首先来自心灵的高贵。

Chanel女士对20世纪妇女的最大贡献，是在服装上解放了妇女的身体，给了妇女行动的自由。Chanel，这自由的精灵，从19世纪飞来，飞过20世纪，正向着21世纪飞去。穿 CHANEL 的女人，何必以身份地位来划地自狱？让我们快快乐乐地、自由自在地穿 CHANEL。穿 CHANEL，就是穿快乐，就是穿自由。

CHANEL 有价，而自由无价，快乐无价。

GIVENCHY

一个高贵优雅时代的

1993 年，奥黛丽·赫本去世了；1994 年，杰奎琳·肯尼迪·奥纳西斯去世了；1995 年，HUBERT DE GIVENCHY 退休了。至此，一个高贵优雅的时代结束了！

人类时装史上最伟大的梦幻组合——赫本穿着鲜红的 GIVENCHY 晚装和 Givenchy 合影，1987 年。

选自《高级订制时装的艺术》。

一代恩师

1952 年，25 岁的巴黎时装设计师 GIVENCHY，经过在 JACQUES FATH 和 ELSA SCHIAPARELLI 等时装公司的几年练历后，开办了自己的时装公司。那时，DIOR 的 NEW LOOK 正风靡欧美，从 19 世纪下半叶到二次大战前的高级时装风韵得到复活。GIVENCHY 却和他的忘年交、精神导师、前辈时装大师、西班牙人 BALENCIAGA 英雄所见略同地向前看：这是一个新技术飞速发展、并改变人们生活方式的新世界。妇女对时装的需求，将随着她们乘飞机出差公干或旅行的频繁，而出现重大变化。

GIVENCHY 退休时，各大时尚传媒都刊登了对他的专访。在这些专访中，我觉得《时尚芭莎》杂志做得最好。它记录了 GIVENCHY 对恩师 BALENCIAGA 的深情回忆："BALENCIAGA 说，他年纪大了，多年的工作习惯和设计路向已难改变，希望我能另辟蹊径，为新时代女性设计适应她们新生活形态的时装。" 50 年代的前期，在一片"向后看"的复古怀旧的时装洪流中，GIVENCHY 却和他的精神导师 BALENCIAGA 一起，对时装进行了"反思维"：走向社会的新女性，就像冲出温室的玫瑰，需要行动自如、舒适方便而又高贵优雅的新式时装。

时装界也是商界。同行之间虽不至于以邻为壑，但时装设计师们艺术家般高傲的心态，加上现实的市场压力，让时装界同行间罕见真正的友谊。而 GIVENCHY 和 BALENCIAGA 之间，虽然并非任何技术或名分意义上的师徒关系，却有着深长的情谊。这份情谊使 GIVENCHY 不仅在设计观念上受益不浅，而且让他感受到人性善良光辉的一面。温文尔雅、心地善良的 GIVENCHY，一生都对这位前辈大师心存感激。

梦幻组合

不负恩师 BALENCIAGA 的厚望，GIVENCHY 自己的首个时装系列全是用白色纯棉布料制作的套装。GIVENCHY 还创造出两件套晚装：上身是无肩带贴身上衣，配外套和长裤或日间裙，是端庄舒适、行动自如的日装；到了晚上，配上华丽高贵的半截长裙，就变成风情万种的晚装。这种新意思给时尚界带来的清新和欣喜，就像"忽如一夜春风来"。在消费者层面，这种线条简洁、制作精良、集现代感和女性化于一身的风格，最早受到对新事物感觉敏锐的美国人的热烈欢迎。在这些迷上 GIVENCHY 风格的美国人中，就有因主演《罗马假日》而获得奥斯卡最佳女主角奖的奥黛丽·赫本。赫本曾用《罗马假日》片酬的一部分，买了一件 GIVENCHY 大衣。

Givenchy 和赫本首次合作擦出的第一颗火花——一套日装套裙令司机的女儿脱胎换骨。
选自《奥黛丽的风格》。

电影《Sabrina》是赫本继《罗马假日》之后主演的第二部好来坞影片。虽然该片已有服装师 Edith Head，但赫本仍恳求导演让 GIVENCHY 为她设计影片中的服装。从此，GIVENCHY 把赫本从一个美丽的女演员，塑造成为 20 世纪欧美时尚的完美典范。而赫本，则成为 GIVENCHY 高贵优雅设计的缪斯——一个高贵优雅的时代，开始了。

1953 年的夏天，《罗马假日》在美国上映还不到一个月，欧洲人还不知道奥黛丽·赫本。所以当友人打电话向

GIVENCHY 介绍“赫本小姐”时，他还以为是好来坞另一位明星凯瑟琳·赫本。结果，来的是当时正在拍摄《Sabrina》的奥黛丽·赫本。那时 GIVENCHY 正处于秋冬季时装展（每年7月举行）前几个星期的最后冲刺阶段，无论赫本给他的第一印象是多么美丽，他实在不可能为赫本专门设计戏服。赫本恳求 GIVENCHY，如果不能专门设计戏服，能否让她从上一季（1953 年春夏季）的设计中挑选——而且她保证不会占用他很多时间？GIVENCHY 欣然同意。

电影《Sabrina》剧照："仙女下凡"晚装，好来坞历史上最重要的代表晚装之一。选自《2001 赫本日历》。

赫本首先选中一套深灰色羊毛套裙。穿上套裙后的赫本让 GIVENCHY 眼前一亮："她刚才说她是什么来着？演员？这个小女孩！她立即被转化为一种罕有的美丽，超越了我的所有模特儿和贵客。”几十年后，GIVENCHY 还记得他和赫本的第一次神奇会面。这一套套裙和头饰，是影片中 Sabrina 从巴黎归来的第一次亮相服装。学成归来、在车站等车的富豪专车司机的女儿 Sabrina，不仅脱胎换骨到让她暗恋的富豪之弟认不出她来，就连我们观众都被吸引得神魂颠倒。这是 GIVENCHY 和赫本首次合作擦出的第一颗火花，它照亮了人类时装史上最伟大的时装梦幻组合。

赫本挑选的第二件 GIVENCHY 出品，是一袭白色丝绸上绣黑花的无肩带晚装。女主角 Sabrina 在富豪家的盛大派对上，穿着这袭晚装出场。她的美丽纯洁如仙女下凡，令非富则贵、穿金银戴钻石的宾客们黯然失色。这

一袭“仙女下凡”晚装，公认是电影史上最完美的灰姑娘瞬间定格，被誉为好来坞历史上最重要的代表晚装之一，成为亿万电影女观众的梦中之裙。

赫本作为20世纪最美丽优雅的时装偶像，对时装有着一种天赋的品味。在日装套裙和丝质晚装之间，还需要什么呢？她看中的第三件GIVENCHY出品，是一袭黑色鸡尾酒裙，肩带上有两只小蝴蝶结，俏丽而又典雅，一直是备受推崇的鸡尾酒裙经典。这条鸡尾酒裙的每一个细节都是如此经典，尤其是领口的造型和肩膀的线条，以致几十年来被后人大量复制，从顶级名牌到大众化百货公司都随时随处可见这袭鸡尾酒裙的翻版。这一广受欢迎的款式，被GIVENCHY命名为decollete Sabrina（露肩的Sabrina）。Decollete Sabrina，不仅是全世界时尚人民的那杯茶，更是全世界时尚人民自我感觉最好的那杯鸡尾酒！

1995年秋冬季，是GIVENCHY退休前的最后一个时装展。在时装展的天桥下，坐满了他的名流顾客、时尚传媒和其他的巴黎时装设计

这袭鸡尾酒裙的“天鹅之歌”（右图），让人怀念起电影《Sabrina》中那袭鸡尾酒裙经典中的经典——“露肩的Sabrina”（左上图）——全世界时尚人民自我感觉最好的那杯鸡尾酒！
“天鹅之歌”耳环上的红、绿、蓝三色，是GIVENCHY首饰的“签名颜色”。
选自《风格》09/95。

师，如LACROIX、VENET等，还有最贵气的美国设计师Oscar de la Renta 当然，级数最高、分量最重的，要数圣罗兰和他的生意伙伴BERGE。他们都来向GIVENCHY道别。在这么特别的时刻，大家都预料他会对自己设计生涯的巨大成功总结一番。但是出乎意料之外，他没有放纵自己的感情——从处女作到告别时装展，永远向前看。唯一让大家稍微怀旧一下的，是一袭被时尚传媒称为“Sabrina裙子”的黑色鸡尾酒裙，这条裙子让观众回忆起GIVENCHY为影片《Sabrina》设计的那一袭鸡尾酒裙的经典。这袭鸡尾酒裙的“天鹅之歌”，成为告别时装展的高潮，赢得时装展观众的起立鼓掌和眼泪。由此也看出GIVENCHY对他与赫本首次合作的怀念之情，以及《Sabrina》里那袭鸡尾酒裙经典在时装史上的崇高地位。

《月亮河》——“小黑裙”的丰碑

“Moon River,wider more than a mile,I'm crossing you in style,someday。……”我第一次听到《月亮河》这首歌，是无意中在电视上看到重播的旧片《TIFFANY的早餐》(Breakfast at Tiffany's)。那是在我“洋插队”的艰苦岁月，一颗年轻的、刚从大学校园出来的青春的心，被“洋插队”的满途荆棘刺得血泪斑斑。曾经对音乐那么热爱的心，我以为它在我疲惫的身躯里已经麻木了。是《月亮河》，滋润了我被“开荒牛”生活挤压得僵硬、沉重的心，唤起心中曾经有过的对人生的温柔体验。呵，多少事，“曾经”过，都已忘记，却被《月亮河》重新唤回。《月亮河》，美丽的河、快乐的河、温柔的河、忧伤的河、品味的河！

“月亮河”小黑裙的背面：
说“月亮河”小黑裙是无人企及的小黑裙丰碑，因为它的每一寸都代表着完美，就连背面也优雅迷人至极，和TIFFANY珍珠项链配合得丝丝入扣、天衣无缝。
选自《赫本画传》。

1961年，影片《TIFFANY的早餐》上映。一开场，纽约曼哈顿第五大道上，赫本穿一袭GIVENCHY特意为她设计的黑色长裙，配黑色长手套和TIFFANY珍珠项链，挽起高高的、别着TIFFANY钻石头饰的头髻，在《月亮河》的乐声中，向着珠宝首饰名店TIFFANY&CO.走来。只见赫本左手拿着一杯咖啡，右手拿着一个沾糖羊角包，走到 TIFFANY&CO.的橱窗前，透过她的墨镜，观赏举世闻名的 TIFFANY 珠宝首饰。因为女主角仰慕名店 TIFFANY&CO.，这个时候的《月亮河》，是快乐的河；又因为有了 GIVENCHY 这袭空前绝后、美得令观众几乎停止呼吸的"小黑裙"，这时的《月亮河》又是美丽的河、品味的河。凡是看过《TIFFANY 的早餐》的观众，相信没有人会忘记这袭"小黑裙"的丰碑——低调地高贵的巅峰之作。

有一天晚上，赫本扮演的女主角回到家中，也就是回到令她焦头烂额的现实中，感怀身世，唱起了《月亮河》。赫本穿着一件白色棉布衬衣，坐在窗台上，望月抒怀，盼望着真正的爱情。这时的《月亮河》，是温柔的、忧伤的，却依然美丽。就像一件简单纯朴的白棉布衬衣，穿在赫本身上，也美丽动人一样。那份美丽的忧伤，总让我想起柴可夫斯基的《如歌的行板》——虽然两首作品的乐曲风马牛不相及，一样的却是那如歌的忧伤、美丽的行板。时至网络时代的今天，美国最大的网络书店 Amazon.com 的顾客评论专栏里，赫本亲自演唱的这首温柔忧伤的《月亮河》，仍被听众评为所有版本中，最动听的《月亮河》。

电影《TIFFANY 的早餐》中，还有另一袭 GIVENCHY "小黑裙"：腰际有一个蝴蝶结、长度及膝、裙脚羊毛滚边的无袖鸡尾酒裙。

"月亮河"小黑裙——小黑裙的丰碑，也是 GIVENCHY 时装和 TIFFANY 珠宝首饰的共同丰碑。
选自《赫本画传》。

赫本以3分钟的神速穿好这条裙子，配上扎着白色纱巾的硕大黑色帽子，当然不会遗漏她的黑色手套、珍珠耳环和大黑眼镜。从更衣间出来，她问她的护花使者邻居、影片结尾时才发现的真爱："How do I look？"这千古一问，实在问出全世界热爱生活的女子的共同心事——How do I look？带着顽皮，带着骄傲，带着期待——期待着朋友眼里出淑女、情人眼里出西施。

这又一袭GIVENCHY小黑裙，近40年来一直倾倒无数时装界内外的爱美人士。美国超级名模Christy Turlington（Maybelline美宝莲化妆品和Calvin Klein香水的面孔），曾应著名时装摄影师Steven Meisel的邀请，穿上这一袭"How do I look？"小黑裙拍照。拍摄完毕后接受采访时，她说："GIVENCHY把赫本的美丽和气质缝入了这袭小黑裙和大黑帽里，我穿上裙子戴上帽子后，感受到时装的伟大。"

"How do I look?"小黑裙——Givenchy把赫本的美丽缝进了小黑裙子和硕大帽子里。
选自《赫本画传》。

难怪在所有时尚百科全书和时装编年史上，1961年最重要的事件就是：GIVENCHY为《TIFFANY的早餐》中的赫本设计服装。

活在时装中

影片《TIFFANY的早餐》里，赫本还穿过一件橙红色大衣，头戴一顶貂皮帽子，那是女主角和她的男朋友约会在TIFFANY&CO.的服饰。

这两件 GIVENCHY 出品立即引起热烈追随，时尚人个个都恨不得立即拥有这大衣和帽子，立即穿上，立即去纽约第五大道上的 TIFFANY&CO.总店赴一个真情的约会。

除了《Sabrina》和《TIFFANY 的早餐》之外，GIVENCHY 还为赫本设计了她在《下午之爱》、《千面佳人》、《巴黎热情似火》等多部影片中的服装。赫本常常对 GIVENCHY 心怀感激："到了拍戏现场，一穿上 GIVENCHY 为我设计的戏服，我就觉得自己进入了角色。"

从 1989 年起，赫本开始担任联合国儿童基金组织 UNICEF 的亲善大使。她穿着 GIVENCHY 为她设计的衬衣，去埃赛俄比亚和孟加拉探视饥饿和贫病的儿童；她穿着 GIVENCHY 为她设计的晚装和宴会服，出席无数的筹款晚宴，为 UNICEF 筹募资金。在她到第三世界访贫问苦的旅途中，她给 GIVENCHY 写信："你为电影中的我设计服装，你为颁奖典礼中的我设计服装，如今，你为拯救儿童事业中的我设计服装，你的麻质衬衣给了我勇气——站起来为饥饿儿童疾呼。"

1993 年赫本去世后，《时代》周刊的姐妹杂志《人物》周刊，感到光是一个封面专题还不足以表达对赫本的景仰之情，决定为赫本再出版一册纪念专辑，这是《人物》第一次为一个电影演员出纪念专辑。专辑上还声明：出售这一专辑所得的头 10 万美元，将捐给赫本生前为之工作的 UNICEF，并刊登 UNICEF 在纽约的地址，欢迎读者直接捐款。为了编好这本纪念专辑，《人物》的编辑们还专程到曼哈顿的 TIFFANY&CO.总店寻找灵感，缅怀那个穿 GIVENCHY 的"《月亮河》小黑裙"、戴 TIFFANY 珠宝钻饰的赫本。

看到这些编辑们在 TIFFANY&CO.总店门前的留影，我不禁想起 GIVENCHY 曾经说过的一句话：女性不仅穿上一袭裙子这么简单，她们还生活在这袭裙子里。

是的，小黑裙既展现我们的美丽，又是保护我们的盔甲。每个女人的衣柜里和心目中，都有一条永远的小黑裙。小黑裙一点儿也不小，它是大气的，又是贴心的；它是低调的，又是高贵的。它是现代女装的极致。

我心中的那袭永远的小黑裙，就是电影《TIFFANY 的早餐》中，赫本穿的那一袭《月亮河》小黑裙。GIVENCHY 设计过无数美不胜收的衣裙，这一袭《月亮河》小黑裙，就像交响乐中的"贝五"（贝多芬的《命运交响乐》）和"贝九"（贝多芬的第九交响乐）一样，是一座后人无法超越的丰碑。

赫本，正如 GIVENCHY 所说，就曾经活在、并将永生在这袭《月亮河》小黑裙里。我想，GIVENCHY，作为时装设计师，不也活在这袭小黑裙里吗？！

时装与政治的竞赛

GIVENCHY 不是那种善于造新闻，一年到头在花边新闻版上闹得沸沸扬扬、"功夫在诗外"的那种高调张扬的时装设计师。他的功夫只在时装之内。在 GIVENCHY 的时装展上，绝不会出现"邀请摇滚歌星或披头四（Beatles，甲壳虫乐队）成员出席"这样耸动视听的新闻。GIVENCHY 的时装 show，他设计的衣服是主角，设计师是上帝。

Givenchy 为肯尼迪夫人出席凡尔赛宫国宴而设计的象牙色绣花晚装。低调高贵、简洁大气的象牙色晚装，和凡尔赛宫国宴大厅金碧辉煌、画栋雕梁的室内装饰形成强烈对比。一袭晚装就把宴会大厅变成背景，凸显肯尼迪夫人的超凡品味和高贵气质——GIVENCHY 举重若轻的杰作。选自《高级订制时装的艺术》。

就是这么一个低调的时装设计师，却受到世界上最有品味和最富裕的女士们的倾心光顾。他的顾客名单绝对羡煞高级时装界。这就是功夫在"诗"内，有麝自然香。

美国历史上最具个人魅力和艺术鉴赏力的第一夫人杰奎琳·肯尼迪，在肯尼迪就任总统前，已是 GIVENCHY 的忠实顾客。据时尚江湖传闻，肯尼迪夫人 1960 年的置装费高达美金 3 万元。1960 年的 3 万美金的购买力是个什么概念？大约是 3 - 4 间中产阶级的郊区舒适住宅吧。

自从肯尼迪在 1961 年当上美国总统后，鉴于第一夫人的官方身份，她的正式服装设计师只能是美国公民。肯尼迪夫人能

上：凡尔赛宫国宴大厅全景。
下：肯尼迪夫人进入凡尔赛宫国宴大厅。
选自《肯尼迪风格——肯尼迪时代白宫的迷人之夜》。

够成为美国人心中的"王后"，她的美籍时装设计师居功至伟。虽然她也很喜爱很满意她的美籍设计师，但GIVENCHY时装仍是肯尼迪夫人的最爱。她曾向朋友流露她的时装梦想："如果总统访问法国，我就去找GIVENCHY帮我设计衣服。"机会终于来了，肯尼迪总统于1961年正式访问法国。参观凡尔赛宫时，肯尼迪夫人就名正言顺地穿了一袭GIVENCHY的设计：象牙色绣花晚装长裙及同色长外套，展现了她高贵优雅的丰采和崇尚简洁的品味。这套外交史上著名的晚装，倾倒了大西洋两岸的时尚传媒和普罗大众。肯尼迪总统在凡尔赛宫国宴上致词时，把自己介绍为："我是陪同第一夫人的那个人。"返美后，他在演讲中又说："我成了陪同第一夫人访问法国的那个人。"

肯尼迪总统英俊魁梧、家族富有，肯尼迪夫人高贵优雅、品味卓越，还有他们一双趣稚可爱的儿女，成为美国人心目中最完美的、偶像级的第一家庭。这第一家庭是美国人理想境界中的“美国王室”，虽然美国是共和制国家。

但是，美国人还有一位真正的王后——摩纳哥的格蕾丝王妃Grace Kelly。Grace Kelly出生于美国费城，年轻时是好来坞的超级明星。她的美丽不是小家碧玉那种类型，而是非常的大气和高贵。这种与生俱来的王室气质，上天怎会忍心埋没？Grace Kelly不仅在好来坞光芒四射——1955年以《乡村姑娘》荣登奥斯卡最佳女主角宝座，1956年下嫁摩纳哥国王雷尼尔亲王（Prince Rainier）之后，继续把全世界的眼光吸引到原先不为人知的地中海岸城邦小国摩纳哥，使之成为格蕾丝王妃的国度。欧美游客仰慕格蕾丝王妃的美丽和大气，蜂拥至这个地中海滨的旅游胜地。从50年代到80年代，格蕾丝王妃使摩纳哥王室声名远播，使摩纳哥国库充实。更由于她热心慈善事业，使摩纳哥成为一个充满人道主义精神的国家。难怪摩纳哥人对格蕾丝王妃敬重无比，远远超出他们对国王的尊敬。

当“肯尼迪王室”遇上“摩纳哥王室”，美国和欧洲的时尚人民和传媒将会怎样为之激动、为之疯狂？

格蕾丝王妃穿一袭鲜绿色的GIVENCHY H装套裙“回娘家”：在丈夫雷尼尔亲王的陪同下，出席“肯尼迪王室”在白宫举行的午宴。她的光芒从1961年显耀至今，历40年的岁月也不黯淡。
选自《肯尼迪风格——肯尼迪时代白宫的迷人之夜》。

1961年5月24日，肯尼迪总统夫妇在白宫举行午宴，招待令美国人无比骄傲的格蕾丝王妃和她的丈夫雷尼尔亲王。在这两个“王室”相遇的历史性时刻，格蕾丝王妃将会以什么形象出现？这个问题不仅在时尚人民和传媒的脑海里盘旋，甚至连肯尼迪总统本人，在见到格蕾丝王妃之后，也忍不住问她：“您今天穿的是GIVENCHY吗？”在白宫午宴4年后，格蕾丝王妃接受肯尼迪总统纪念图书馆的采访时，她还回忆起当时和肯尼迪总统的对话，她认为那是一个奇迹，因为那天她正是穿着一件GIVENCHY的日装套裙出席午宴。她回答总统道："总统先生，您真聪明。您怎么知道这是GIVENCHY的出品？"肯尼迪说："现在我的时装知识已经很丰富，因为时装比政治更重要。传媒对我的演说，还不如它们对第一夫人衣着打扮的重视呢。"

据肯尼迪的白宫社交秘书、美国时尚殿堂级名牌TIFFANY&CO.的前公关主管、欧美著名社交礼仪作家Baldrige女士的回忆："肯尼迪总统对高级时装，仅是白丁一名。他猜对了格蕾丝王妃的午宴服，那只是他的幸运。他对高级订制时装的惟一认识，就是抱怨价钱太昂贵。"

我估计白宫社交秘书的判断是对的，那天肯尼迪总统只是运气好而已。但是，从一个妻子的角度，我猜想肯尼迪总统能够从一个名牌白丁，"成长"为一个名牌琅琅上口、衣衣入眼的"时装专家"，一定和肯尼迪夫人对GIVENCHY时装的热爱分不开。这世界上不知多少丈夫，就是这样在妻子的熏陶下，在支付妻子置装费的过程中，在对名牌价格的抱怨中，不知不觉地了解了名牌的风情。

只是，以美国总统的权倾天下，不得不坦然承认在时装和政治的竞赛中，时装竟然赢出。这真的需要勇气、幽默感、自信心和最重要的——对妻子的爱。

江山美人

格蕾丝王妃不仅自己喜欢GIVENCHY的设计，她的孩子也是穿着GIVENCHY的衣服成长。她的女儿Caroline公主3岁生日时，就获得GIVENCHY赠送的一件白纱裙。对肯尼迪夫人，GIVENCHY更称赞她是"美国的魅力和美丽大使"。这和美国人视肯尼迪夫人为他们的"没有加冕的王后"有异曲同工之妙。

在大西洋彼岸的英国，真的有一位美国人与后冠擦肩而过，成为英国"没有加冕的王后"——英国王室"不爱江山爱美人"真人show的女主角、爱德华八世退位后迎娶的美国离婚女子、后来的国际社交界、奢华界的风云人物——温莎公爵夫人。

英国文坛才子王尔德曾说过这样的俏皮话："时装所给予人的安全感，是宗教永远办不到的。"温莎公爵夫人，是又一位GIVENCHY设计的超级爱好者。1972年，温莎公爵去世后，GIVENCHY是温莎公爵夫人第一个打电话通知的人——她请GIVENCHY为她设计送亡夫遗体回英国时所穿的衣服。众所周知，英国王室对爱德华八世宁弃王位也要迎娶的这位公爵夫人，怀有深深的敌意。温莎公爵夫人不仅需要一袭与王室成员共同出席丈夫葬礼的礼服，而且更需要一种心理上的保护。对这位长期忠实顾客的星夜告急，GIVENCHY只用了一个晚上便完成了这袭黑色双襟扎皮腰带的葬礼礼服。咱不能不想起咱们对"领导"的赞扬术语："急群众之所急。"当然，这位以生活奢华和衣着品味名扬天下的公爵夫人，只是英国女王和王太后眼里的"群众"。咱们这些真正的劳苦大众，仰望她就如同站在海平面上看珠穆朗玛峰似的。

1998年，温莎公爵夫妇的遗物拍卖，其中大量的锦衣华服，就出自GIVENCHY的手笔。不知历史是否一个怪圈，温莎公爵夫妇位于巴黎郊外的小型宫殿，连同室内的物品一起，被长居英国伦敦的埃及富豪老法埃得购入，准备送给他的儿子小法埃得和他的女朋友——英国的戴安娜王妃。谁料他的儿子和戴妃1997年在巴黎魂归天国。于是，欧美各大传媒热烈报道此拍卖的同时，都蜂拥采访GIVENCHY。看到电视上的GIVENCHY从容淡定地解说每一件自己的作品，赞美自己的已故老顾客温莎公爵夫人，仿佛看到一幕幕英国王室的恩怨情仇重现，一页页的历史翻过。

在时尚评论中，简洁的设计风格（或称简约主义）不时被作为女性化的对立面。每当看到这类观点，我就会想起GIVENCHY。他以简洁舒适著称，但他的顾客，从赫本、肯尼迪夫人、格蕾丝王妃、温莎公爵夫人，到有美国时尚教母之称的前《时尚》杂志主编Vreeland，都是极具女性魅力的美丽名女人。大师就是大师，能以最简洁含蓄的设计，表现最迷人的女性美。

"金融寡头"闲云野鹤

GIVENCHY的恩师BALENCIAGA不仅让GIVENCHY看他的时装设计图纸，在他退休结业的时候，更把他的忠实顾客、美国女富豪Bunny Mellon（梅隆）介绍给GIVENCHY。记得上初中时，在一门课上学过“帝国主义是垄断的资本主义，是腐朽的资本主义，是垂死的资本主义”，高中时又重温这些原理——高考必考的内容。高考是人生的重大关头之一，我至今一直牢记课本上举的“垄断资本主义”的例子：金融寡头——梅隆。这位女梅隆，就是这个金融寡头梅隆家族中的一分子。

这位年轻的梅隆夫人一直是BALENCIAGA的最忠实VIP顾客。她很低调，在她晚年罕有的一次电话采访中，她回忆说：当BALENCIAGA第一次告诉她，他将退休关门时，她首先想到她想转向圣罗兰（Yves Saint Laurent）。但是，BALENCIAGA告诉她：“你别无选择。”原来，BALENCIAGA已为她找好了下一任时装设计师——GIVENCHY。

Givenchy为梅隆夫人设计的晚间大衣，上面有抽像派作品图案。舒服温和而又充满艺术气息，是GIVENCHY内涵的外延。选自《高级订制时装的艺术》。

“我喜欢美丽入时，但衣服不是我的生命。我的风格是舒服。”这是女梅隆的时装宣言。BALENCIAGA深知自己的忠实拥趸对时装的要求，难怪他要把女梅隆介绍给GIVENCHY。接下来的一季，出乎GIVENCHY的意外，女梅隆真的光顾GIVENCHY的时装屋，定购了100件各种款式的衣裙。梅隆夫人出手之阔绰，再次刷新她自己创下的豪情“大花洒”记录：当年，光是梅隆夫人一个人的订单，就封了BALENCIAGA时装公司的亏本门。其他顾客的订单，就是BALENCIAGA的纯利润。

由于自己极度富裕的家境和不喜张扬的个性，女梅隆非常欣赏和喜爱GIVENCHY的风格：低调高贵，舒服优雅。她和GIVENCHY达成共识：她知道自己要的是什么时装，她不会接受任何推销。因为热爱园艺，所以在GIVENCHY为她设计的霓裳羽衣中，赫然有牛仔裙这样的便服——她可以穿着GIVENCHY的出品，终日陶醉在她家庄园的花园里。GIVENCHY是华衣美服的代表，但他也曾应女梅隆的请求，为她设计过桌布。是呵，园艺高手采了自己种的花，摆在桌子上，当然要有一流的桌布来配衬——有时生活可以是一份完美。

女梅隆常对GIVENCHY说，她不是GIVENCHY设计的最佳形象，因为她不愿像其他世界顶级名媛淑女——GIVENCHY的其他顾客那样，愿意为时装而时装。她只喜欢简单的东西。真是天助健康生活方式，让女梅隆遇上GIVENCHY。而GIVENCHY最青史留名的，就是在简单舒服中营造高贵优雅。

时装以外，春色满园

几个时装季下来，梅隆夫人和GIVENCHY成了好朋友。1972年BALENCIAGA去世，GIVENCHY悲痛万分，为失去这位亦师亦友的前辈大师。梅隆夫人来到Le Jonchet——GIVENCHY的其中一座别墅，试图安慰他，帮助他重新开心起来。女梅隆回忆说："很难让他的思绪走出这悲剧带来的伤心。我唯一擅长的是园艺，我希望可以用园子的设计来吸引他的注意力，所以我建议他在房子和车库之间加修一条小径。"接着的下一次探访，梅隆夫人带来了满满一整皮箱的小植物和花蕊。第二天起床后，她看见GIVENCHY已在花园里忙开了——穿着裁缝白袍在捣鼓梅隆带来的那些花花草草。什么是朋友？最知友人心如梅隆夫人对GIVENCHY的关心那般的，才叫朋友。

收集和收藏是人类的一大爱好，我们常见的是集邮、集钱币、集和歌星影星偶像有关的一切东西。GIVENCHY收集的是房子、花园、古堡和古董。他对建筑和园艺的热爱，使他多年荣任世界纪念性建筑物基金会法国分会的主席。我非常喜欢一张GIVENCHY回家的背影照片：高大魁梧的身材，潇洒有型的风衣，极富古典质感的建筑物——不愧是建筑物基金会的主席，他挑选房子的格调和品味绝对一流，真的令我一见钟情。GIVENCHY的这个背影，是我最喜欢的西方的背影。它让我想起一个在中国非常著名的背影——朱自清的《父亲》那个背影，一个非常东方式的背影。

1995年从高级时装界退休后，GIVENCHY可以将大部分时间投入到世界纪念性建筑物基金会的工作中了。这时，时装对于GIVENCHY，已成为往事。但他仍常和他从前的高级订制时装的忠实顾客见面，为他的基金会筹款，以修复凡尔赛宫里面的路易十四厨房花园。1996年夏天，GIVENCHY 在路易十四的 22 英亩厨房花园里举行露天宴会，来自欧美各地和各国王室的 GIVENCHY 高级订制时装的忠实顾客，携她们的丈夫，当然更携带各人或其丈夫的支票簿出席。在两旁点满蜡烛的小径上聊天参观之后，宾客们进入白色帐篷，享受路易十四厨房的出品。头上是绿色蔬菜制成的吊灯，身边是这个花园出产的水果堆成的"金字塔"，场面热烈盛大，共400位世界最有能力爱靓的人士济济一堂，支持她们终生热爱的时装设计师"当时装成为往事"之后的新事业。

Givenchy 在凡尔赛宫路易十四厨房花园的大门前。
如此深具历史文化价值的建筑，实在值得这位热爱建筑的时装大师和他的美国富豪顾客们协力修复。
选自《时尚芭莎》09/95。

和酷爱园艺的梅隆夫人一起，GIVENCHY 主持修复了凡尔赛宫里面的路易十四的厨房花园。他俩一起钻研园艺、建筑和历史书籍，考古考了好几个月，才找到大家都满意的意念，然后施工才能启动。这项修复工程由世界纪念性建筑物基金会和大批私人捐助人赞助，直到1998年才完成。和 GIVENCHY 一起写下园艺史新篇章的梅隆夫人，至今难忘 GIVENCHY 第一次带她去凡尔赛宫看路易十四的厨房花园的情景："我们刚从市场回来，他说要给我看一样东西，呵，那真是最美丽的一个白雾缭绕的秋日。"

如今，梅隆夫人因年龄关系，再不能像过去那样常常飞到法国去和 GIVENCHY 一起做园艺，但在 GIVENCHY 的所有城堡和别墅里，他仍为她保留了她的专用套间。接受时尚传媒采访时，当被问及她和 GIVENCHY 的亲密关系，梅隆夫人大笑着回答："这不是罗曼史，GIVENCHY 真的要求我在花园里工作。我的专用套间里有我的工作服和园艺工具。我不是作为亲密朋友住在那儿，他真的需要一位住家园丁。"美国"金融寡头"夫人做跨国住家园丁？呵，她可真是世界上最昂贵、身价最高的园丁了。

林中仙子

近半个世纪过去了，时尚潮流无情地淘汰了不少曾领风骚的一时之杰。然而，GIVENCHY风格之树长青。由美国时代周刊公司出版的《风格》杂志，在1997年发行秋冬季特刊，主题是"好来坞时装50年"，开篇就是赫本、GIVENCHY和《TIFFANY的早餐》。确实，提起那些由GIVENCHY设计戏服、赫本主演的电影，我们只记住了赫本、GIVENCHY时装、TIFFANY珠宝钻饰和那条长流不息的《月亮河》。电影本身被这些不朽的形象、不朽的首饰、不朽的时装和不朽的音乐的光芒掩盖了。

1995和1996两年，整个欧美时装界怀旧风劲吹，连鞋也流行起影片《Sabrina》里配GIVENCHY鸡尾酒裙的低跟鞋，这种款式的低跟鞋还被命名为Sabrina鞋。至于各个年轻当红的名牌，如意大利的PRADA、入主法国CELINE的美国设计师Michael Kors自己的牌子，还有执掌法国皮具老牌LOUIS VUITTON帅印的纽约小子Marc Jacobs自己的牌子，处处可以看到他们对1950和1960年代GIVENCHY的花呢套裙、鸡尾酒裙和非常运动型的套装的致敬。时尚传媒一致认为：奥黛丽·赫本、杰奎琳·肯尼迪和格蕾丝王妃的优雅淑女风格又回来了。对于首创这风格的GIVENCHY来说，有什么比整个时装界自发的、集体的敬意更崇高的呢？

受GIVENCHY风格影响和熏陶的，不仅有时装和配饰（例如鞋子）设计师，还有时装摄影师、形象设计师等一切与靓有关的专业人士。美国著名的时装摄影师Skrebneski就把他的时装摄影集题献给GIVENCHY。他称GIVENCHY不仅过去是、而且今后永远是他生命中各方面的灵感。

"林中仙子"——大自然的灵感、Givenchy的礼物。GIVENCHY1991年春夏季高级订制时装系列。

看过这本时装摄影集，就相信他的题献所言不虚。题词下方，是一幅GIVENCHY裙子的图片。这袭用新鲜白色铃兰制成的裙子，实在是清新、自然、充满美

“林中仙子”(俯拍)——童年的想象、成年的眼福。
选自《高级订制时装的艺术》。

感的杰作。可能是GIVENCHY对园艺的热爱，启发了Skrebneski的摄影。于是，我们有眼福看到这袭裙子的另一幅俯拍的照片：精致大气的花园里，绿草如茵，铃兰盛开，天鹅绒般的草地上，奔跑着一位赤脚佳人，她的头上戴着白色铃兰花冠、身上穿着这一袭GIVENCHY1991年春夏季的白色铃兰短裙，背后的硕大白色蝴蝶迎风飞舞，宛如林中仙子。呵，亲爱的林中仙子，你从童年时代起，就进入我的脑海。只是此前，我们从未谋面。想不到成年以后，GIVENCHY时装和Skrebneski的摄影擦出火花，终于让我见到了童话中的林中仙子！

再也没有迷人的花冠了

热爱建筑的GIVENCHY，还给Skrebneski提供了另一幅时装摄影杰作的灵感，那是GIVENCHY1991年秋冬季的一袭晚装，黑色的尼龙绢网、真丝薄纱以及黑色的天鹅绒宽吊带，和GIVENCHY巴黎住宅大堂地面上的菱形黑色地砖遥相呼应，而模特儿皮肤的颜色，则和大堂楼梯的颜色一致。模特儿穿着这袭晚装，趴在宽大的楼梯上，就像一只黑天鹅，神秘而又迷人。不知是时装拥抱建筑，还是建筑拥抱时装，总之，这袭黑天鹅晚装和那袭"林中仙子"裙子，当然还有"《月亮河》小黑裙"，它们才是我心目中高级订制时装的魅力。

"黑天鹅晚装"，神秘而又迷人。不知是建筑拥抱时装，还是时装拥抱建筑。GIVENCHY1991秋冬季高级订制时装系列。选自《高级订制时装的艺术》。

时装界常常有一个历久常新的话题：是GIVENCHY造就了赫本，还是赫本成就了GIVENCHY时装？提出这个问题，最初是想寻找答案，但是，找了几十年，仍然处于"是先有鸡，还是先有鸡蛋？"的无解阶段。现在，这个问题依然屡问屡新。终于，时装界找到了一个不是答案的答案：GIVENCHY和赫本，这个人类时装史上最伟大的梦幻组合，他们是你中有我，我中有你。赫本也说："穿上GIVENCHY的设计，我才觉得我是我自己。我是为穿GIVENCHY的设计而生的。"

美国最大的广播电视网ABC，在1998年的秋冬季，曾经制作过一个巴黎时装专题。播出的时候，我正在漫不经心、无可无不可地看着窗外的蓝天白云。忽然，《月亮河》的音乐响起，我立即把思绪从瓦蓝瓦蓝的天空上收回——啊，一定是轮到介绍GIVENCHY了。果然，电视上播出赫本1954年接受奥斯卡最佳女主角奖（《罗马假日》）的镜头。她穿着一袭GIVENCHY为她设计的白色蕾丝裙子，那张让全世界人民爱煞了的完美的脸，就贴在奥斯卡奖座上。GIVENCHY时装、赫本、《TIFFANY的早餐》和《月亮河》，是永远连在一起了。

1991年，GIVENCHY时装40年回顾展在巴黎开幕。赫本为回顾展写前言，其中有这样的赞美和感激："他把我包裹在他的才华里，他以他的温情滋养了我。"这个前言让我想起一张黑白照片：巴黎赛纳河畔，灰蒙蒙的天空和河岸，树都秃了，建筑物隐掩在冬天的雾中。满头银发的GIVENCHY，左手搭在赫本的左肩膀上，两人并肩漫步。他穿着白色衬衣和深色西装，系深色领带，和赫本的浅色风衣形成强烈反差，黑白对比使这幅照片鲜明丰满起来。赫本和GIVENCHY从年轻到晚年，有过无数黑白和彩色的合影，但我最喜欢这幅两人晚年的照片。因为，经过了几十年的风霜雨雪，他们俩仍然是灵魂上最亲密的朋友。

GIVENCHY和赫本的友谊，持续的时间比赫本的两任丈夫以及生前最后一个伴侣加起来的时间还要长。而且爱情总有伤害和痛苦。但是，友谊是一首和爱情完全不同的歌。作为赫本生命中最重要的异性之一，GIVENCHY不仅以他的才华妆扮着赫本，还永远以挚友的情谊滋润着赫本，保护着赫本。这幅赛纳河畔的黑白照片，只是他们俩在一起最放松、最和谐、最动人的瞬间之一。这就是为什么，赫本指定GIVENCHY作她的遗嘱见证人和调解人。赫本去世后，按她生前的意愿，由六位男士为她抬灵柩：她的两个儿子、她的第二任丈夫、她的兄弟、她晚年的伴侣，还有她的终生挚友GIVENCHY！

我常常喜欢看赫本和GIVENCHY晚年的这幅照片，因为打动我的，不仅有GIVENCHY的

80年代末，Givenchy和赫本在赛纳河畔。这是最打动我的他们两人的合影。
选自《奥黛丽的风格》。

时装，还有这种超越世俗爱情的异性友谊。这种友谊不仅出现在赫本美丽非凡、青春灿烂、人见人爱的时候，更出现在赫本遭受生活挫折和晚年癌症缠身的时候。这才是 GIVENCHY 区别于其他设计师的最动人的一面。在这幅黑白照片里，晚年的 GIVENCHY 依然高大魁梧、温文英俊，晚年的赫本依然秀丽优雅。我看着这幅照片，觉得自己既爱上了 GIVENCHY，又爱上了赫本；既为时装史上最伟大的梦幻组合而感动，又为见识所及范围内最动人的异性友谊而感动。忽然想起莫扎特的歌剧《狄托的仁慈》里的一首咏叹调《再也没有迷人的花冠了》，于是代入这个句型造句：再也没有这样迷人的、深长的异性友谊了。

一个高贵优雅时代的结束

GIVENCHY 在高级时装界的成就和地位，让他超然于一切奖项之上。然而，1995 年他退休时，美国时装设计师协会 CFDA 仍授予他终身成就奖。GIVENCHY 和美国的缘分深矣。

60 年代初期 Givenchy 为美国的 Whitney 夫人设计的晚装：上身绣着粉红色水晶石，腰际是一圈粉红色羽毛，真正的霓裳羽衣，华贵却绝不喧嚣。Whitney 夫人 1974 年把这袭晚装捐赠给纽约大都会博物馆，成为该馆高级订制时装珍藏之一。
选自《大都会博物馆 1984 年挂历》。

说到 GIVENCHY 和美国的缘分，不能不提起另一位美国淑女——Babe Paley。这位 Paley 夫人不仅是巨富 CBS 广播电视网的创办人兼董事长 Paley 先生之妻，曾任美国版《时尚》的时装编辑 8 年；更由于她不喜欢去 BALL，而喜在家宴客，所以她也以餐桌布置著称。她作为主设计者、她的作家朋友 Capote 作为辅助设计者的餐桌布置“TIFFANY 的早餐”，成了同名小说和电影的创作灵感和名字。她和她的姐妹 Whitney 夫人、Astor 夫人一样，也是 GIVENCHY 时装和 TIFFANY 首饰的超级热爱者。由于穿 GIVENCHY 时装穿得低调高贵、完美优雅，1978 年被美国经典时装刊物《WWD》评为“品味从不出错，是这个国家无法被挑战的时装领袖”。

CFDA 历史上获终身成就奖的不只 GIVENCHY 一个人。但更难得的是，为了 GIVENCHY 的退休，他的长期忠实顾客们在纽约为他举行告别宴会，这些都是最富裕、最有品味的世界顶级社交名媛和女富豪。这场宴会堪称"世界顶级女富豪圆桌会议"。宴会后，GIVENCHY 接受采访时说："我热爱时装，我喜欢和这些女士们合作，她们都是我的朋友。现在，许多设计师连为顾客量体试衣都省略了。高级订制时装的设计师，应该到场为顾客度身试衣、并给予顾客建议的。如果你给予顾客你的才华和服务的质量，她们会非常忠于你的。为什么45年来，我一直拥有Petrie家族、Whitney家族、梅隆家族和Bass家族的女士们作为顾客？因为，当她们来订制衣服的时候，我总是在场。我的精力不在为取悦传媒而制造新闻上。"这么朴实无华的大实话，确实不像出自一位殿堂级时装大师的口。GIVENCHY 出品的质量是什么水准？是"从未被触摸过的裙子"，就这么完美。

GIVENCHY 接受《时尚芭莎》杂志采访时说："我的生命中有过无比美好的时刻，我认识所有最好的时装设计师，我拥有最好的顾客。我知道，拥有这一切机会，是生命的一种奢侈。"这几句话，被用作这篇访问记的结尾。读完这篇访问记，我想：拥有 GIVENCHY 这位最好的时装设计师，不也是他的顾客们生命中的一大奢侈吗？

在 GIVENCHY 的最后一个时装 show 举行之前，法国的另一时装传奇圣罗兰（Yves Saint Laurent）给 GIVENCHY 写信："我理解你离开时装的决定，但我仍然为你的离开难过不已。因为在这个和我们的生活

这一袭1973年出品的披肩型大衣，是Givenchy为Von Galen伯爵夫人制作的精品。狐狸毛从来都是毛皮中的珍品，狐狸毛镶边的大衣如何达到宁静高雅、毫不富贵逼人的境界？Givenchy提供了这个"少就是多"的典范。选自《高级订制时装的艺术》。

方式和思维方式相去甚远的、变幻莫测的时代，你是时装的最后一个灯塔。”

1995年秋冬季大衣，让我想起圣诞节的颜色，想到春天的红花绿草，为萧索的寒冬带来温暖和妩媚，更为充满离别伤感的1995秋冬季GIVENCHY告别时装show带来喜气和亮丽。选自W09/95。

我就生活在圣罗兰所说的这个和他们的生活和思维方式相去甚远的时代，一个变幻莫测的时代。但是，我觉得自己好像是生错了时代。我的情感，我的思维方式，我的审美倾向，好像与50、60年代更合拍、更和谐。不然，为什么在时装资讯爆炸、传播方式多姿多彩的当代，最打动我的，仍然是GIVENCHY时装和TIFFANY&CO.所代表的生活方式？

深深地向往20世纪50、60年代以GIVENCHY为代表的简洁大气的时装风格，向往那种温文尔雅的生活方式。现在，看着GIVENCHY的继任设计师们惊世骇俗、狂野不羁的风格（或许就是最新人类的风格），不能不慨叹：一个高贵优雅的时代，真正地结束了！

TIFFANY & CO.

（上）

装饰艺术的凯旋门

美国作为19世纪下半叶和20世纪的世界头号富国，它的富人和名人阶层是如何社交，如何举办庆典，如何向他们挚爱的人表达亲情和爱意，如何纪念他们人生和事业的成功里程碑，如何装饰布置他们的书桌和餐桌，如何奖励休闲活动中的优胜者，以及他们是如何向金钱表达赞美之情的呢?

答案全在TIFFANY&CO.。

钻石之王

很喜欢舒婷的两句诗："通过人生的凯旋门，有时自己并不知道。"

TIFFANY&Co.的创始人CharlesL.Tiffany油画肖像。
选自《TIFFANY&CO.》

1837年9月21日，就在历史上著名的"一八三七金融大恐慌"期间，美国人Charles Tiffany和合作伙伴John Young，揣着Tiffany的父亲借出的1000美元贷款，在纽约曼哈顿下城的百老汇大街，开了一家文具和精品商店TIFFANY&YOUNG。很快地，商店扩展至银器和珠宝生意。这两位创业者并不知道，以这家小店为基石，他们开始了个人事业和美国装饰艺术"凯旋门"的建造。

1837年的纽约，还没有成为一个代表着品味格调和完美质量的时尚之都。尽管有着对精致优雅生活的热爱和极佳的商业头脑，Tiffany 面对的仍是一个未知的前景。那时的美国，聚集了一大批在新大陆“掘金”成功的暴发户，他们手中把握着前所未见的惊人财富。这个巨富阶层的审美倾向，不是仍停留在对过去老欧洲风格的简单重复，就是对新移民开垦拓荒过程的机械记录。面对如此难以驾驭的品味，Tiffany 总是在他出售的商品上体现出他的“自新大陆”的审美情趣，不仅给他的巨富客户带来美感享受的意外惊喜——就像后来的得沃夏克的“自新大陆”的交响曲给音乐界带来的清新感受一样——又用客户付出的巨额金钱为装饰艺术的“凯旋门”添砖加瓦。不久，共同创始人 Young 退出生意，Tiffany 买下他的股份，公司改名为 TIFFANY&CO.。

TIFFFANY&CO.格调高尚而又新意盎然的珠宝首饰带来了滔滔生意，当时纽约著名的上流社会“400 人”（New York's grand society"Four Hundreds"）都成了 TIFFANY 的顾客。1870 年 TIFFANY&CO.搬往曼哈顿当时的富豪住宅区 Union Square，新落成的建筑物被称为“世界上最大最壮观的珠宝宫殿”，掌门人 Tiffany 被誉为“钻石之王”。

世界上最大、最完美的黄钻石，加工后仍重128.51克拉，又称为“TIFFANY钻石”。
选自《TIFFANY&CO.》

但Tiffany并不满足于此，他继续为纽约社交界带来新的兴奋点——一颗世界上最大、最完美的黄钻石。这颗加工后仍重128.51克拉的黄钻，1877年在南非被发掘，同年被远见卓识的Tiffany以18000美元买下。这颗金黄色的钻石，有着极罕见的90个切面，看起来就像钻石自身由内向外发出璀璨光芒。这颗巨钻成了TIFFANY&CO.的镇店之宝，简称"TIFFANY钻石"。

六爪镶嵌法

能够稳戴"钻石之王"桂冠超过一个世纪之久，TIFFANY&CO.又岂止坐拥"钻石世界之最"这么简单？

TIFFANY&CO.首创的钻石"六爪镶嵌法"，又称"TIFFANY镶嵌法"。
钻戒中的钻戒——TIFFANY的订婚钻石戒指，多少女子的梦中钻戒。
选自2000春夏季广告。

1886年，TIFFANY&CO.首创了钻石的"六爪镶嵌法"（Six-pronged Tiffany setting）。这种镶钻方法，让钻石最大限度地高出铂白金指环，折射更多的光线，看起来更光辉璀璨"六爪镶嵌法"还可以让镶嵌的手工最大限度地"隐型"，让钻石本身成为首饰的真正主角。就像"文学的最高技巧是无技巧"一样，钻石的最佳镶嵌是无镶嵌。"六爪镶嵌法"又称TIFFANY镶嵌法，成为100多年来国际钻饰界同行们推崇备至并热烈仿效的权威经典镶钻技术。

王室贵胄风范

世界各国的王室向来是各种珠宝首饰的收藏者和"模特儿"，王室的"职责"之一似乎就是向世人展示她／他们的钻石珠宝。各种皇冠、权杖可不就是由稀世珠宝制成的吗？

到19世纪末，TIFFANY&CO.已有23个国家的王室成为其顾客，包括英格兰的伊丽莎白女王一世，俄国沙皇和皇后，波斯和埃及国王，巴西皇帝以及丹麦、比利时、意大利和希腊的国王。

在所有欧洲王室中，法兰西的拿破仑三世皇后EUGENIE拥有的珠宝首饰，仅次于英国的伊丽莎白女王一世。1887年，第二帝国陷落后，拿破仑三世皇后逃离法兰西。她的珠宝首饰被法国财政部公开拍卖。其中有一枚以珍珠、绿宝石和钻石制成的胸针，是她出席重要场合和盛宴时佩戴的，被TIFFANY创始人Charles Tiffany买下。这次欧洲最大的拍卖会上，Tiffany共买得总值50万美元的珠宝。100多年前的50万，换算成现值，绝对是豪气干云的天文数字。难怪这次拍卖会上的第二大顾客的交易额，仅是Tiffany大手笔的十分之一。

Tiffany回到美国后，他的斩获赢得美国工业界、金融界的“王室”——新大陆的新兴富豪

拿破仑三世皇后的一枚重要胸针，以珍珠、绿宝石和钻石制成。
选自《TIFFANY&CO.》

们的热烈欢迎。这些各行各业的“大王”以巨款从钻石大王手中买下拿破仑三世皇后的珍藏首饰。由此可见，钻石大王建立他的珠宝王国的动力，除了金钱所代表的商业成功外，还有他对珠宝装饰艺术的刻骨热爱。

时至20世纪，英国的伊丽莎白女王二世也成了TIFFANY&CO.的顾客。她给皇家禁卫军马球俱乐部送的礼物，就来自TIFFANY。

戴妃、TIFFANY和温布尔登

上：英国女王伊丽莎白二世送给皇家禁卫军马球队的礼物，那蓝盒子白蝴蝶，一望而知出自名店TIFFANY&CO.
下：戴安娜王妃佩戴TIFFANY的SignatureII系列手链和耳环，出席1994年温布尔登网球赛。
选自《TIFFANY的20世纪》。

至于英国王室历史上最得民心的戴安娜王妃，更心仪TIFFANY&CO.的首饰。她曾佩戴TIFFANY的全套Signature II黄金手镯和耳环，出席1994年的温布尔登网球赛的决赛。

网球起源于英国，本来就是动感和文雅相结合的贵族运动，所以每年的温布尔登网球赛，都有王室成员出席观看。温布尔登绝对是网球赛口的大哥大，无论传统渊源、奖金金额或对专业网球手和网球观众的号召力，温布尔登都远远超出另外两个网球大满贯赛——美国公开赛和法国公开赛。

以美丽、爱心和品味著称的戴安娜王妃，是温布尔登网球赛上最受欢迎的观众和颁奖人。戴妃佩戴的TIFFANY首饰，是典型的TIFFANY20世纪的风格，那份现代感和简洁美，和戴妃散发着活力和健康魅力的现代王室风采配合得丝丝入扣，天衣无缝。

歌剧院一夜

不同时代有不同的大路通向罗马。在19世纪的流金岁月，对古典音乐和歌剧的爱好，是通向社会承认和社会地位的"康庄大道"。

老音乐协会——19世纪纽约市的歌剧中心，被称为社交界的黄金圈子。奇怪的是，当时的巨富之一、美国的铁路大王W.H.Vanderbilt,却未能进入这个圈子。那时Vanderbilt有多富呢？若把他的财富换算成现值，他比当今的世界首富比尔·盖茨（Bill Gates）还要身家丰厚得多。

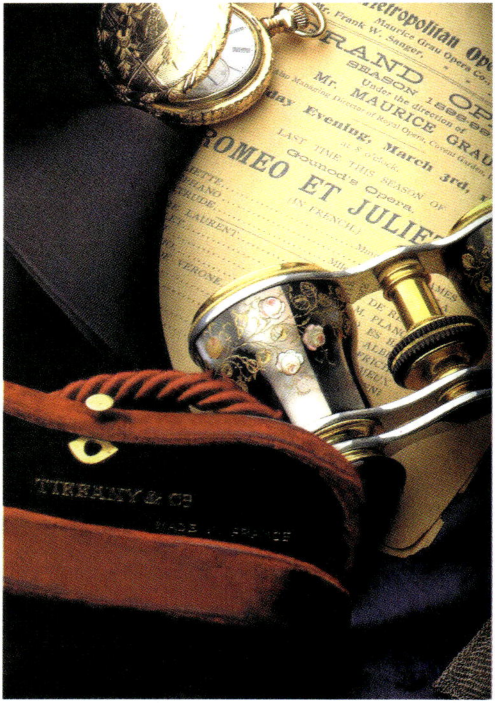

TIFFANY珠宝钻饰之外的欣赏歌剧的"行头"。
选自《TIFFANY的150年》。

最多金的人却被拒于社交界的黄金圈子之外。不能接受这个令人难堪的现实，他决定建造自己的歌剧院。1863年，在几个朋友的协助下，他出资建成了纽约大都会歌剧院。Vanderbilt常年包下了5个最豪华的头等包厢，给自己和家人及亲友们享用。这5个连成一片的包厢，被称为"马蹄形钻石"。

TIFFANY成了这片"马蹄形钻石"的最大供货商——能够成为"马蹄形钻石"座上客的歌剧观众，自然是TIFFANY珠宝首饰的大客户，"马蹄形钻石"里面，果然一片钻光熠熠，如天上的繁星点点。珠宝钻饰之外，TIFFANY出品的镂金怀表、珠母贝(mother-of-pearl)歌剧望远镜、以及黄金白银网状晚装手袋，都是歌剧观众的必备"行头"。

罗马不是一朝一夕建成的，罗马的魅力正在于它保存了多个时代的建筑、历史、文化和艺术的精华。社交文化也不是忽而河东、忽而河西地转瞬即变。今天的纽约大都会歌剧院，虽已搬到林肯中心，却仍是纽约和全美国的社交黄金地带。每年秋季大都会歌剧院演出季节开始的第一晚，都是一年当中社交界最盛大的节日，各路英雄豪杰名媛淑女社会精英济济一堂，检阅世界第一流歌剧水平的同时，也展示世界第一富国的时尚阵容。衣香鬓影之间，TIFFANY 的珠宝首饰和贵气精品，仍一如 19 世纪那样，闪耀着跨世纪的夺目光芒。

林肯的柔情和品味

和美国的开国总统华盛顿、美国《独立宣言》起草人杰佛逊两位一起，宣布解放黑奴废除奴隶制的林肯，也是美国历史上最伟大、最重要的总统。他们三位在美国历史上的地位，凡到过美国首都华盛顿的人都一目了然：华盛顿纪念碑、杰佛逊纪念堂和林肯纪念堂，是首都最重要、最显著的纪念性建筑物。

林肯夫人在林肯总统就职典礼上佩戴的 TIFFANY 黄金珍珠手链。《TIFFANY 的 150 年》

林肯夫人在林肯总统就职典礼上佩戴的 TIFFANY 黄金珍珠项链。选自《TIFFANY 的珠宝》。

不知是否由于美国人不把权贵当回事，林肯虽是史册上赫赫有名的美国总统，他的初到首都华盛顿的第一夫人却在首都华盛顿的上流社会社交界受了不少白眼。可怜的林肯夫人只好以尽情豪华的购物方式来安慰自己受伤的心。TIFFANY 是美国上流社会社交界的珠宝首饰和情趣精品的“指定动作”与“必修课”，因此 TIFFANY 自然成为林肯夫人的心头好。1861 年林肯宣誓就任总统，他为第一夫人购买了从项链、胸针、手链到耳环的全套 TIFFANY 珍珠和黄金饰物。这套饰物在林肯的就职典礼上大放光芒，其图片资料一直保存在国会图书馆。呵，原来，英雄也有很柔情很具品味的一面。

林肯和夫人不是TIFFANY&CO.唯一的总统／第一夫人顾客。

美国历史上不少第一夫人都非常醉心于文化艺术，并有着极好的审美情趣。这或许跟美国人对第一夫人角色的期待有关，又或许与白宫可以为第一夫人提供装饰艺术的广阔天地有关。更重要的是，白宫有着繁忙的国事级社交活动，国宴就是最频繁的社交形式之一。TIFFANY作为餐具和餐桌布置艺术的世界顶级名店，怎会不在白宫的国宴历史上占一席之地呢？60年代末期，约翰逊总统夫人请TIFFANY为白宫设计国宴餐具，打破了先前白宫餐具的极官方的传统。这套由当时TIFFANY&CO.的艺术总监TRUEX设计的、以美国野花为图案的餐具，浓缩了约翰逊夫人历时4载的“让美国更美丽”的单人匹马“改革运动”。这套餐具现在陈列在白宫，供进入白宫的所有游客参观。

肯尼迪被拒

肯尼迪总统曾向TIFFANY定制特别的日历匾额，送给他的白宫幕僚们。他最初要求用一种名叫Lucite的金属来制作，但TIFFANY当时的总裁Hoving拒绝了。因为Hoving认为最适合的材料是纯银。肯尼迪只好转向别的精品店定制。当他最终见到“唯总统命是从”的制成品后，失望令他不得不重返TIFFANY，购买Hoving坚持的纯银版本。贵为美国总统，也不得不佩服TIFFANY&CO.对自己的审美观和质量的坚守。

肯尼迪夫人就比总统本人有品味得多了。她是世界各顶尖时尚名牌争相网罗的贵客，她的一衣一饰，都是时尚杂志争相刊登和图解的内容。肯尼迪夫人非常热爱珍珠，1967年5月的美国版《时尚》杂志，就刊登了她戴TIFFANY珍珠耳环的照片。这耳环由TIFFANY&CO.历史上最著名的宝石设计师Jean Schlumberger设计。肯尼迪夫人对这位宝石大师非常欣赏和敬仰，曾和《时尚》杂志历任主编中最具影响力的一位——Vreeland一起，出席大师回顾展的开幕式，表示她的敬意。

到了艾森豪威尔总统的年代，TIFFANY又上演一出“总统与庶民同价”的喜剧。艾森豪威尔要买一个圆形的黄金雕饰送给夫人MAMIE。史书上说，他笑着问：作为美国总统，是否

肯尼迪总统夫人佩戴 TIFFANY 的宝石大师 Schlumberger 设计的三叶珍珠耳环。
选自《TIFFANY&Co.》

可以获得 TIFFANY&CO.的优惠折扣？TIFFANY 的回答是：“林肯总统也没有得到任何折扣。”

马克·吐温“叹世界”

马克·吐温是一个亲切的、令我发笑的名字。一想起或见到这个名字，就会想起中学语文课上学过的《竞选州长》和英语课本中的《汤姆·索亚历险记》。尤其是那个机智可爱的汤姆，是少年时代文山题海枯燥苦闷生活中罕有的亮色。从来就没有过汤姆那样的冒险精神，更没有汤姆把惩罚性劳动化为小伙伴向往的有趣游戏那份幽默机智。早早就被人生的名缰利锁（例如考大学）套牢的小小少年，真爱煞了汤姆的敢作敢为和举重若轻。十几年后的今天，“中年聊发少年狂”，汤姆·索亚和马克·吐温仍是记忆中闪闪发亮的偶像。

汤姆的“生身父母”马克·吐温的生活品味是怎样的呢？

马克·吐温很懂得如何“叹世界”（粤语：享受人生）。他曾聘请 TIFFANY&CO.的创办人 Charles Tiffany 的儿子、美国最伟大的装饰艺术家——Louis Comfort Tiffany，为他住所的内墙和天花板镀上黄金和白银的镂花装饰。直到今天，马克·吐温位于Connecticut州Hartford市的豪宅，仍然是各室内设计杂志和电视节目的热门报道对象，并对来自世界各地的读者和游客开放。

马克·吐温还对 TIFFANY 出品的银器和纯银餐具情有独钟。他家的宗教洗礼纪念银碗、婴儿出生纪念银碟和日常居家使用的婴儿杯，以及银质刀叉汤匙调羹，均购自 TIFFANY&CO.。

马克·吐温夫人更是 TIFFANY 珠宝首饰的忠实捧场客。她装饰自己身体的热情，和马克吐温装饰住宅的热情相比，绝对有过之而无不及。

马克·吐温，这位内河航船舵手、报纸记者、作家、幽默讽刺大师，曾经写下洞察人性秋毫的金句："人类是唯一懂得或需要羞愧的动物。"难怪他被《大西洋》月刊誉为"文学界的林肯"。同样地，向往舒适美好的生活、热爱"叹世界"，也是人的天性。透过 TIFFANY 的装饰艺术，我们才知道 原来，马克·吐温还是一位"叹世界"的高手——好一匹识途老"马"！

精神贵族

TIFFANY&CO.的顾客非富则贵，这个富贵涵盖了金钱贵族和精神贵族。此话怎讲？请看由 TIFFANY 制作的耶鲁大学的权杖。

耶鲁大学的权杖，TIFFANY&CO.制作于1903年。
选自《TIFFANY 的150年》。

耶鲁大学和哈佛大学、普林斯顿大学等世界一流的高等学府一起，是美国著名的常春藤盟校。常春藤盟校的学术地位和对美国乃至世界文化的深刻影响，让无数学者和学生及其家长们有高山仰止的感觉。即使和这些常春藤盟校毫无干系的普罗大众，也知道这些名校是培养精神贵族的沃土。

在耶鲁大学的重要庆典（如毕业典礼）和正式仪式上，权杖由专门的典礼官扛着，以示学术的尊严和知识的价值。1903年，耶鲁大学音乐系教授 SANFORD 向 TIFFANY&CO.定购一尊银质权杖送给学校。他亲自设计的这尊权杖，有代表大自然的橡树，有常春藤，还有耶鲁大学的"校叶"——榆树叶；权杖的周边上，站立着四个塑像，分别像征艺术、科学、法律和神学。耶鲁大学权杖厚重的质感和精致的雕铸，再次显示了TIFFANY精湛的装饰艺术和工艺水平。也只有TIFFANY出品的地位和分量，才配衬得起耶鲁大学所代表的美国学院派象牙塔文化吧。

流行文化

非常贵族、非常蓝血（Blue blood）的TIFFANY，也有非常大众、非常普罗的一面。其亲民代表作是橄榄球（美式足球）超级杯（Super Bowl）的奖杯——银光闪闪的橄榄球，被形似首都华盛顿纪念碑的底座托起，其亮丽，似银河星光；其动感，如箭在弦上。小女子对橄榄球既无认识，也无兴趣，却爱煞了这个奖杯。为一睹它的芳容，每年超级杯颁奖仪式，都要乖乖安坐电视机前。还记得，当听到这个超级杯奖杯要展出，我第一时间奔赴这个"TIFFANY体育奖杯历史回顾展览"，亲眼看这个令我爱煞的银色奖杯。

超级杯是美国本土观众最多的体育比赛，亿万观众为之疯狂为之陶醉；广告客户和传媒更是磨刀霍霍，期望在超级杯广告中杀出重围。作为潜在消费者的观众，无论是蓝领还是白领，是富豪还是贫民，电视机屏幕前人人平等。于是不论科技高低、价钱贵贱的产品或服务，只要想打知名度，个个不惜在超级杯广告上一掷亿金。例如当年的苹果电脑，就是在超级杯广告中横空出世，一举成名天下知。

就在这滚滚美元的汪洋大海中，只有TIFFANY任凭风浪起，稳坐钓鱼船。凭这超越35年流行时空仍光芒四射的超级杯奖杯，蓝血望族TIFFANY不费一文，就稳立流行文化的潮头，施施然看潮涨潮落。

爱在TIFFANY

圣诞节之于西方，就像春节之于中国，是一年当中生意最好的季节。但TIFFANY&CO.还多出两个旺季 情人节和母亲节。因为西谚云 钻石是女人最好的朋友(Diamonds are a girl's best friend)。各位奋战在挣钱养家活口第一线的丈夫，自然在孝敬妻子时轻车熟路——直

爱的馈赠——Burton送给玉婆的IGUANA胸针。
选自《TIFFANY&Co.》。

奔TIFFANY&CO 各位挣钱不让须眉的女中豪杰，对TIFFANY的经典和新作，更是点点滴滴在心头，悉时奖励自己。谁让钻石是我们的好朋友呢？

说到钻石，最广为人知的爱的馈赠，要数一枚名为"IGUANA"的胸针。这枚胸针由Jean Schlumberger设计，他把钻石、蓝宝石和绿宝石镶嵌在黄金和铂白金上，巧妙地造出一只价值连城的IGUANA蜥蜴。动物和植物造型的饰物是这位宝石大师的拿手好戏，也是TIFFANY&CO.最受宝石爱好者追捧的经典系列之一。

这枚IGUANA胸针之所以出名，盖"名名联合"——出品：名店TIFFANY&CO.的宝石名师Jean Schlumberger；订购人：好来坞名导演/演员Richard Burton；收礼人：名演员Elizabeth Taylor（伊丽莎白·泰勒，1961年奥斯卡影后，昵称"玉婆"）。

玉婆一生迄今为止结婚8次，历任丈夫从富豪（第一任，希尔顿酒店集团太子）到参议员到建筑工人（最后一任，即第7任），不一而足。结婚8次为何只得7位丈夫？原来，玉婆先后和Burton结婚两次。Burton的去世，令玉婆痛不欲生。她多次公开表示，Burton是她的一生最爱。这枚IGUANA胸针，是Burton送给玉婆，以纪念他们在影片《IGUANA之夜》中的合作。玉婆先从影，影而优则从事香水生意（牌子名叫WHITE DIAMOND——白钻石），家财亿贯。因此，玉婆是慈善捐款界的大豪客，现金支票就不在话下了，她还为慈善筹款捐出私人珍藏，例如她的首饰、她领取奥斯卡奖时穿的晚装，等等。但是，这枚IGUANA胸针，玉婆一直珍藏至今，证明"最爱Burton"所言不虚。

玉婆最近获得英国女王授予爵士头衔，她的答谢词是："我希望天堂上的Burton能够看见我的授勋仪式。"在名利场上打滚一生的玉婆，在她风烛残年的时候攀上了荣誉的顶峰，此时她的心中仍只有她的最爱。Burton，你的TIFFANY宝石钻饰没有白送。

银车赠佳人

爱的尺度因人而易，示爱的礼物自然花款多多。

19世纪末纽约红得发紫的音乐剧女皇Lilian Russell，为保持她的沙漏型"魔鬼"身材，每天都在曼哈顿的中央公园骑自行车锻炼。时尚江湖传闻：当时纽约的一位花花公子型富豪Jim Brady，从TIFFANY定制了一辆纯银自行车赠佳人。过了差不多一个世纪，一本关于TIFFANY&CO.的历史的书里，澄清这百年之谜：当年花花公子的订单为TIFFANY所拒绝。不过，音乐剧女皇的纯银座骑，倒是真正的TIFFANY出品，只是，送礼人是"女皇"的另一位低调得多的倾慕者。

似乎19世纪的女士除了爱宝石和时装，还特爱自行车，以锻炼身体兼保持身材。看来，健康的生活方式，并非20世纪人的发明。TIFFANY出品的纯银自行车，不仅美国人喜爱，其声名甚至远播至大西洋彼岸的欧洲。1894年，英国贵族Pearson爵士和夫人到纽约旅行，他送给夫人一辆TIFFANY的手雕纯银自行车，以纪念他们的"到此一游"。

总之，有了TIFFANY&CO.，各界人士的送礼头痛就大大减轻。好来坞的明星到片场拍戏，自然有人会送TIFFANY出品的纯银饭盒。想送令人天天想起你的礼物，又不想每次重复送钻石，那就送一个TIFFANY的纯银浴缸吧，名副其实的沐浴爱河。

颠倒华尔街

不过，对华尔街来说，TIFFANY最重要的还是首饰之王——钻石。在TIFFANY看来，年年月月都有人坠入爱河、订婚和结婚，所以，一年四季都是钻石销售的旺季。

1999年，全世界都忙着向20世纪说再见。钻石之王TIFFANY的世纪道别，顺理成章地和钻石有关：新的钻石镶嵌法——LUCIDA订婚钻石戒指。这一新款钻戒更简洁、更现代：前卫勇敢的四方型设计、错综多面的钻石切刻，折射出激流般的光芒。在“TIFFANY六爪镶

LUCIDA结婚钻戒。
选自2000秋冬广告。

LUCIDA订婚钻戒。
选自TIFFANY2000－2001产品目录。

LUCIDA订婚和结婚钻戒“套装”。
选自2000秋冬广告。

钻法”发明的114年之后，TIFFANY再次设立了钻石镶嵌的美丽新标准。LUCIDA订婚钻戒一发表，华尔街的TIFFANY股票买盘激增，TIFFANY股价狂升。从1998年底至1999年底这一年内，TIFFANY股票翻升了4倍多。

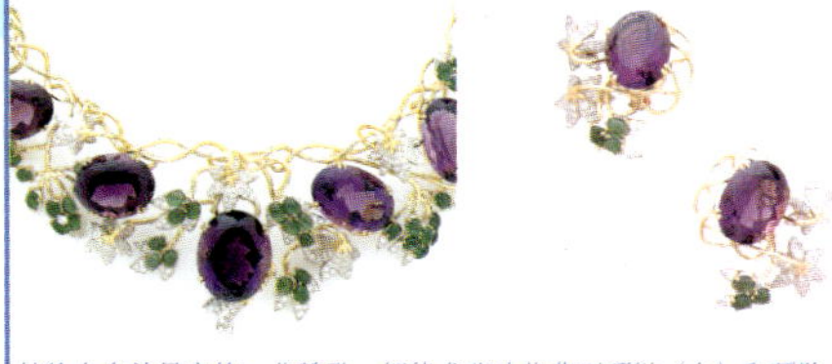

献给大自然母亲的一曲赞歌：都德式蔓叶花草型项链（左）和耳坠（右），用天然的紫水晶、钻石、绿宝石和黄金制成。这是我最喜爱最难忘的、最清新美丽的宝石首饰设计之一。
这是宝石大师Schlumberger早期的作品，却一直畅销至今。年年岁岁，都让新上场的富贵新丁们认识什么叫“经典”，什么叫“大师”，什么叫“经典长红”。
选自2000－2001目录。

TIFFANY的贵气之一：维多利亚珍珠和钻石项链、手链，让我“一见倾情”。
选自1999－2000目录。

TIFFANY的贵气之二：Schlumberger1965年为美国巨富梅隆夫人设计的海蜇胸针，以铂白金、黄金、月亮石、钻石和紫水晶制成。这也是我最喜爱的其中一款宝石设计，既矜贵，又生动。
选自《TIFFANY&CO.》。

TIFFANY的贵气之三：TIFFANY的男装古董风格手表，满足各型时尚人士的怀旧情怀。
选自《时尚》03/97。

TIFFANY的贵气之四：非常女性化的钻石、绿宝石项链和耳坠——TIFFANY的低调高贵淑女。
选自1999－2000目录。

TIFFANY的"贵气+时代感"之一：
上：海蓝宝石、红宝石和钻石"茶壶"别针——青年是夜茶（越是入夜，越是未觉夜！）；
中：TANZANITE宝石、红宝石和钻石"茶壶"别针——中年是英式下午茶（多谢董桥！）；
下：TANZANITE宝石、红宝石和钻石"茶杯"别针——老年是早茶（老年人是早上6、7点钟的太阳。）
选自1999－2000目录。

这是什么增值速度？这是股市新贵诸如网络硬件、无线通讯、光导纤维等当红炸子鸡的平均增值速度。TIFFANY&CO.这163年的老字号，凭什么和华尔街的新宠儿平起平坐？凭的就是经典中求新的这份贵气加时代感。回望TIFFANY的辉煌历史，也会发现TIFFANY无须年年季季忙不迭地脱胎换骨取悦什么，而是经典长卖长旺，同时推陈出新。所以才有新款不出则已，一出就石破天惊。

TIFFANY的"贵气+时代感"，各位时尚新人类热爱，华尔街的大师、小师当然也是识货之人。

美国19世纪下半叶最重要的投资银行家、金融家J.P.MORGAN,当年就是TIFFANY&CO.的热烈拥趸。他同时又是一位艺术收藏家和游艇好手，还曾当选纽约游艇总会会长。MORGAN一生获奖无数，尤其在游艇和帆船比赛上更是如有神助，多次夺魁。他所获奖牌奖章中，每一枚都是TIFFANY的出品。MORGAN还收购了TIFFANY在1889年巴黎博览会上展出的全部宝石，并把它们捐赠给纽约自然历史博物馆。MORGAN有美国中央银行之父的美誉，他创立的投资银行J.P.MORGAN，今天仍是杜琼斯指数的30只股票之一，其呼风唤雨的江湖地位至今不坠。

TIFFANY的"贵气+时代感"之二：
18K金、细钻石和铂白金手镯、耳环和戒指。
看见这个"袖口"型手镯，时尚新人类立即把华尔街的投资大师、小师们的忠告、把守财奴的训条通通抛到太平洋，心中只有购买的冲动在腾升！
图片选自1999－2000目录。

J.P.MORGAN的后辈、21世纪纵横钱眼的投资专家们，自有他们"从钱眼看世界"的观点与角度：TIFFANY&CO.是蓝血名店，各位，如果你口袋里有钱、心中有买名牌的冲动，无论你是送礼给自己还是送给至爱亲朋，不妨把钱一分为二，一半买TIFFANY的出品，另一半用来买TIFFANY&CO.的股票。假以时日，后者可能如雪球般越滚越大，让你可以买更多的TIFFANY出品。

华尔街的指点迷津，其实也广泛适用于时尚新人类的理财心理训练：拒绝名牌、积攒每一个铜版，似乎太委屈自己；对金钱实行用光、花光、享受光"三光"政策，又似乎有违"晴天捡拾下雨柴"的理性。面对魅力没法挡的名牌，怎么办？那就从大洒金钱改为半洒金钱吧——享受一半，投资一半。

诸位，你自问是"备战备荒为人民"的守财奴，还是千金散尽还复来的"大花洒"，还是投资享受两不误的机会主义者呢？

做个有钱、有品味的"机会主义者"，真好！

TIFFANY & CO.

（下）

经典永远不老

亲爱的TIFFANY:

一件美丽的事物
是一份永远的快乐
这就是为什么
TIFFANY艺术的光辉
永不黯淡。

过去的150年
你的名字代表着
美丽
风格
完美的质量
和永恒。

你的珠宝首饰
使我们光彩照人
你的灿烂灯具
照亮了我们的家

你的银器和水晶
令餐桌熠熠生辉
你的餐具
给生活带来尊贵。

你邀我赴你的早餐
由此你融入我的生命
——有多少人能说
他们在TIFFANY
享受咖啡和羊角包——
你的早餐
是我珍贵的记忆。

亲爱的TIFFANY，
生日快乐！
我祝福你
怀着我的爱
也怀着我的羡慕
——经历了150年的沧桑
你却没有一丝皱纹——
呵，原来，
经典永远不老！

你诚挚的朋友
奥黛丽·赫本

《TIFFANY 的早餐》

电影《TIFFANY 的早餐》剧照：
女主角（赫本扮演）和男主角（Peppard 扮演）在 TIFFANY&CO.总店欣赏珠宝首饰。赫本的钻石头饰和珍珠钻石项链由 TIFFANY 提供，她穿的小黑裙由 GIVENCHY 设计。从此，赫本这个“TIFFANY 加 GIVENCHY”的形象，成为 20 世纪时尚最受赞誉的、最伟大的典范。
选自《TIFFANY&CO.》。

以上的生日贺词，赫本写于1987年，献给 TIFFANY&CO.的 150 周年店庆。凡是看过电影《TIFFANY 的早餐》(Breakfast at Tiffany′s) 的观众，相信无人不为这份生日贺词而感动。对世界各地的TIFFANY拥趸和赫本影迷来说，这贺词好像从每个人的心里流淌出来，那么亲切，那么自然。难怪这部 1961 年的电影在各地的电视上不断重播，感动了一代又一代的观众，为已于 1993 年去世的赫本带来网络时代的新影迷，更为珠宝首饰世界顶级名店 TIFFANY&CO.带来络绎不绝的朝拜者。

电影《TIFFANY 的早餐》，一个温馨感人的故事：一位幻想着嫁入豪门的女子，幻灭后在 TIFFANY&CO.找到了真爱。女主角 Holly Golightly 由奥黛丽·赫本扮演。和千千万万远距离仰望和欣赏 TIFFANY 的普通人一样，女主角知道：在那个叫做 TIFFANY&CO.的地方，有扎着白丝带蝴蝶结的天蓝色礼物盒子——著名的 Blue Box，有出神入化的橱窗布置，有如魔术般令人眼界大开的奇珍异宝。她相信，在 TIFFANY&CO.那样美好的地方，不会有坏事发生，没有人会受到伤害。

凡是看过电影《TIFFANY 的早餐》的观众，谁能忘得了影片中 TIFFANY 珍珠项链和钻石首饰的珠光宝气与瑰丽光芒，谁又忘得了GIVENCHY时装的完美高雅。还有那美丽而又忧伤的《月亮河》，已在我们心中流淌了不知多少年，并将继续流淌不息。呵，TIFFANY的“早餐”，成了20世纪最令人神往的“早餐”！

著名的TIFFANY蓝盒子blue box。买任何TIFFANY的出品，都会包装在不同规格和不同款式的蓝盒子里。扎白丝带的蓝盒子，成了TIFFANY的标志，更成了TIFFANY拥趸和有心人的收藏对象。
选自1999－2000目录。

这“早餐”是如此令人神往，以致现在仍有为数不少的新一代TIFFANY拥趸和新科赫本影迷，走进TIFFANY&CO.问的第一个问题是：“餐厅在哪儿？”“现在还供应早餐吗？”或“早餐时间是几点？”知道TIFFANY历史的人，当然忍俊不禁，因为，能在TIFFANY&CO.享用“早餐”的，赫本是前无古人，后无来者。

电影《TIFFANY的早餐》剧照：
影片开场时，赫本在《月亮河》乐曲声中，走到位于纽约曼哈顿第五大道上的TIFFANY总店橱窗前，边吃早餐边观赏TIFFANY的奇珍异宝。不经意间，成就了20世纪最令人神往的“早餐”！
选自《TIFFANY&CO.》。

玛丽莲·梦露 vs.奥黛丽·赫本

《TIFFANY 的早餐》集 TIFFANY 珠宝首饰、GIVENCHY 时装和歌曲《月亮河》于一身，荣获奥斯卡最佳服装奖和最佳歌曲奖，绝对是实至名归。这本来是一部关于人性的电影，但在时尚爱好者眼里就成了时尚经典电影，到了音乐发烧友那里，就变成了音乐经典影片。

其实历史和人生一样，很多时候是被偶然因素所推动。至于推到万劫不复的深渊，还是鲜花盛开的天堂，有时只是一念之差。电影《TIFFANY 的早餐》的导演，当年挑选演员时，有两位候选女主角：玛丽莲·梦露和奥黛丽·赫本。梦露性感诱人，赫本高贵优雅。难以想象的是，当初导演的首选，并非赫本，而是梦露——多么玄、多么令人难以置信的决定。但是，梦露最终拒绝了这一角色。于是，赫本、TIFFANY&CO.以及历代的赫本影迷和 TIFANY 拥趸，就恍如来到了鲜花盛开的天堂。是呵，有赫本这位 20 世纪时装的优雅偶像来主演，难怪 TIFFANY&CO.当年的老板 Hoving 首肯电影公司来旗舰店实地拍摄。

拍板允许摄制组进驻拍摄的 Hoving，以珠宝首饰的安全为理由，坚持让 TIFFANY 的店员扮演影片里的店员和现场顾客。由于电影是在星期六下午关门后和不开门的星期天拍摄，Hoving 要求电影公司支付 TIFFANY&CO.的员工超时加班工资外加拍戏津贴。而且，由于拍摄而增加的保险费、电费等店方支出，通通要电影公司负担。消息经当时的《纽约先驱论坛报》一报道，成了 TIFFANY&CO.效果极佳的公关资源。这让人轻易想起 Hoving 的另一公关杰作：当艾森豪威尔总统询问能否获得折扣时，Hoving 回答“连林肯总统也没有折扣”。

赞助电影的珠宝名牌不止 TIFFANY&CO.一家，但只有《TIFFANY 的早餐》获得空前绝后的成功。有一个世界一流的法国珠宝首饰名牌，近年也曾赞助一出电影，由一位近年新上位的好莱坞一线青春女星主演。但获得的影评是：身份为贵妇的女主角，怎么看怎么像一位上班白领。于是，引起影评人的无限感慨：《TIFFANY 的早餐》中的赫本，即使扮演交际花都高贵过人。

回望TIFFANY&CO.的历史，从奥黛丽·赫本顶替玛丽莲·梦露的出演，到TIFFANY&CO.老板Hoving的牛气冲天，不得不说：天助TIFFANY!

饮食“浪漫主义”

“革命不是请客吃饭。”

当然不是。

聚众吃喝玩乐，是请客吃饭（包括付帐AA制）；心情大好，是请客吃饭；成功的喜悦需要和至爱亲朋分享，是请客吃饭；接风洗尘、迎来送往是请客吃饭；洞房花烛夜、金榜题名时，更是请客吃饭。即使情绪低落、心情沮丧时，也是请客吃饭或客请吃饭——三两知己围美食而坐，箸起筷落之间，沮丧灰飞烟灭，美食家们眉飞色舞、谈笑凯歌还。吃——口福，可真是人类的最大福气之一。

有一位朋友，是社交场上非常受欢迎的出版界女强人。坐镇广州，却运筹帷幄，决胜千里之外——令北京的文学界、社会学界、中国社科院的各路思想文化界精英和流行音乐界的各路大腕们，自动献稿出版。就这么一位成功人士，要越洋开拓人生的“新的增长点”了，在广州的她的仰慕者们、狐朋狗党们，轮番请她吃饭饯行。那几个月，以我的想象加上内幕消息，她的饭局宴请简直连早餐时间都要排满了。真是盛况空前，谁与争锋？

看来，受欢迎程度，也得以客请吃饭/请客吃饭为温度计。放眼世界，果然东西方的社交寒暑表都是同一材料制成的——饮饮食食，请客吃饭或客请吃饭。

“民以食为天，食以味为先”，“食得是福”，这是中国人的饮食文化。走遍世界，最令中国人自豪的，仍是中国餐饮的美味。在国外生活了十几年，深知什么叫做“无中国餐不欢”。

中国饮食文化的重点在食物，大概可称之为“饮食现实主义”；而欧美饮食文化的重点在餐

1886年的“饮食浪漫主义”：TIFFANY1886年为美国历史上最富有的寡妇Hopkins夫人特制的餐具之——主菜后的甜品叉匙。Hopkins夫人后来和比她年轻20多岁的室内设计师Searles结婚，成为Searles夫人，因此，这套甜品餐具又称Searles餐具。她在遗嘱中把她的数千万元的财富全部留给Searles先生，震惊她的亲友和整个“上流社会”。
选自《TIFFANY&CO.》。

桌的布置（table setting），顺理成章地，那就是“饮食浪漫主义”了。

TIFFANY&CO.的水晶与金银餐具以及餐桌布置设计，和它的珠宝首饰齐名。随着社会财富的增长，人们愈来愈向往好品味和高格调的生活，而宴会饭局又从来都是社交重地。于是TIFFANY&CO.在饮食浪漫主义文化中扮演了愈来愈重要的角色，通过它遍布世界各地的一百多家分店，更把这种饮食浪漫主义广为传播。

不仅美国的出版大王Hearst在TIFFANY创下一次定购297件一套餐具的记录，连巴黎社交界的女主人们，也要到TIFFANY定制餐桌座次卡片、宴会请柬和餐桌用品，以显示她们的品味和智慧。以法国人的骄傲，何须到年轻的美国餐具名店定购宴会用品？想来，是世界变了。欧洲的古典风格已不是品味的唯一依归。智慧和现代派的审美观，从19世纪末开始，与古典派的美丽一起，平分着格调的春光秋色。有钱又有名的社交名媛们，谁愿落得个“金玉其外、败絮其中”的蠢名？用TIFFANY的餐具布置宴会桌，就像买了格调保险似的——美丽与智慧兼得。

华尔街的品味：
在19至20世纪的新旧交替时期，文艺复兴风格的餐具受到富裕阶层的热烈欢迎。这类有植物图案雕刻的TIFFANY银质水果、蔬菜盘子，以及雕刻精美的冷酒器，尤其受到华尔街上的股票商人和投资银行家的喜爱。
选自《TIFFANY的150年》。

伯爵花园的午餐：
爱尔兰的Parsons伯爵的祖屋，建于17世纪，原来是中世纪城堡的门房。伯爵头衔已在这个家庭传了9代人，他们越来越喜爱这座17世纪的老建筑物，以及围绕它的著名的花园和植物园，因为这些名园凝聚了他们家数代人对园艺的心血和热情。
在晴朗凉爽的夏日，他们喜欢在这个当年门房的“侧堡”——今天的厨房外面的花园，吃一顿愉快的午餐。餐具包括了TIFFANY的“carousel chinois”瓷器系列，以及其它的英国维多利亚时代和法国、西班牙的古董餐具。
选自《TIFFANY的品味》。

最得我心的，除了爱尔兰伯爵花园午餐餐具外，还有1937年TIFFANY出品的一套纯银餐具，名为“世纪”，是为纪念TIFFANY&CO.的100周年店庆而作。如此充满流线型美感的餐具，真正体现了TIFFANY首创的“经典简约、现代情怀”。1987年TIFFANY&CO.

150周年店庆时，这套流线型纯银餐具再版发行，就像50年前初版时一样大受欢迎。50年的岁月没有黯淡它的光辉，在现代派已大行其道的当代，这一设计依然经典简约，依然现代情怀。

富裕起来的人们，开始幻想他／她们是否能够把报纸和杂志社交版上介绍的梦幻般美丽的餐桌布置，搬回自己家中的饭厅。

细部

"世纪"餐具，为纪念TIFFANY&CO.的100周年而首度发行，150周年店庆时再版发行，依然"经典简约"、依然"现代情怀"。
选自《TIFFANY的20世纪》。

1956年，TIFFANY&CO.开始举办餐桌布置展览。参与设计的，不仅有美国巨富家族的女主人，如Astor夫人（其夫的祖先在泰坦尼克上把救生筏子让给妻子，遗腹子得以出生长大，继承家族地产大业）、Carlisle夫人等，还有以品味格调著称的社交界文化界名人，如美国版《时尚》杂志的传奇主编Diana Vreeland。这些世界顶级社交名流的餐桌布置，吸引了五湖四海、三山五岳的饮食浪漫主义者们前来一睹丰采，亲眼瞻仰那些比《建筑文摘》、《房子与花园》、《城市和乡村》等豪华生活杂志上的图片更豪华的餐桌布置。

在这些参展的时尚文化名人中，有一个美丽传奇——纽约的品味领袖Paley夫人。传奇在于：Paley夫人三姐妹，都集美丽、财富和文化时尚于一身。这有点儿像中国的“宋氏三姐妹”。不同的是，宋家有两姐妹嫁给政治人物，一位嫁给大财阀。而美国版的“宋氏三姐妹”全都和超级富豪结婚。三姐妹中最美丽的是Paley夫人，她的丈夫Paley先生是美国三大电视/广播网之一的CBS的创办人，她本人从1939至1947八年间担任美国版《时尚》杂志的时装编辑，是公认的品味高手。

Paley夫人在1963年。她衣领上的绿宝石、蓝宝石和钻石胸针，出自TIFFANY的宝石大师Jean Schlumberger的手笔。选自W12/99。

更重要的是，Paley夫人是TIFFANY&CO.的VIP顾客，所以她也曾受邀参加餐桌布置展览。她的餐桌布置名为Breakfast at Tiffany's（TIFFANY的早餐）。著名作家Truman Capote和Paley夫人是好朋友，他参与了布置“TIFFANY的早餐”。于是小说女主角心中有了一份对TIFFANY&CO.的向往之情，于是餐桌布置的名字成了小说的名字，于是餐桌布置成了这部名著的灵感。不知是小说带旺了电影，还是电影带旺了小说，总之，这电影在电视上不断重播，而小说就一直畅销至今。

我喜欢这种好事重重、“剪不断、理还乱”的连环关系：名店邀名媛布置餐桌参展，名媛邀作家朋友参与设计，设计给作家带来灵感，灵感孕育了小说，小说名篇被改编成电影，电影使小说和名店更加不朽。

你一定要看TIFFANY

TIFFANY&CO.1940年10月落成的总店的正门。选自2000—2001目录。

柳苏说：“你一定要看董桥。”陈子善还编了一本董桥散文的评论集，书名就叫《你一定要看董桥》。

我对朋友们说，去纽约，你一定要去看TIFFANY&CO.。

在纽约曼哈顿第五大道与57街交界处，有一幢线条简洁现代、花岗石外墙装饰精致古典的大厦，正门上方，希腊神话中的Atlas顶天巨神扛着一个大钟。这就是TIFFANY&CO.的总部旗舰店。这座TIFFANY总店的建筑设计师John Cross，是首都华盛顿的林肯纪念堂的设计者。他为TIFFANY设计的新店，带着浓厚的Art Deco色彩。1940年10月，TIFFANY&CO.从37街的罗马宫廷式建筑搬入这新总店大厦时，传统主义者因缅怀旧址的古典风格而猛烈抨击，现代派人士则因新厦的古典点缀而大表不满。但这大方向现代、装饰细节古典的建筑，却获得《纽约时报》和《时代》周刊的热烈称赞，还有TIFFANY拥趸献诗祝贺。今天，这座气派而又朝气蓬勃的大厦，成了美国最高贵豪华购物区的里程碑建筑之一。经典的TIFFANY香水，其瓶子一眼望去，就是TIFFANY总店建筑的玻璃版。60年来，有多少青春似火的女孩男孩，曾经把他们的约会定在TIFFANY正门的大钟下！

看完建筑，你还不能进TIFFANY的大门。怎么回事？难道要买票吗？呵，不，比买票有趣多了——请继续欣赏TIFFANY的橱窗。

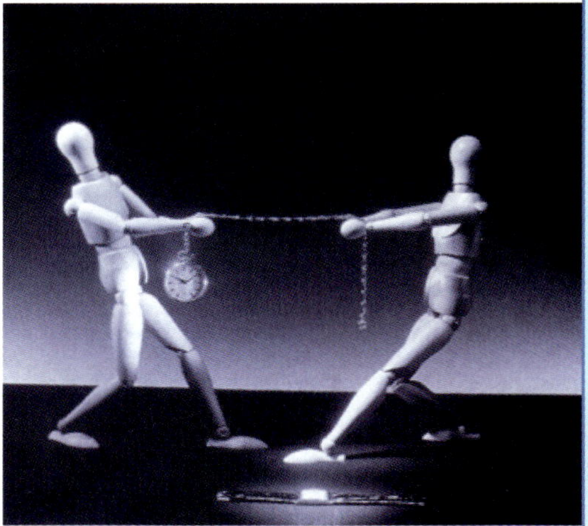

Gene Moore的橱窗设计之一：两个木头人在抢一个TIFFANY手表。选自《TIFFANY&CO.》。

1955年，Hoving（又是Hoving！）聘请Gene Moore任TIFFANY的陈列和橱窗设计总监。从此，TIFFANY总店的橱窗，成了曼哈顿一个非常受欢迎的"旅游名胜"、纽约文化游中的指定项目。TIFFANY的防盗橱窗不大，对Moore是个机会也是挑战。他的戏剧性橱窗设计幽默机智、妙趣横生，常常是多义的、超现实的。Moore让商业和艺术平起平坐，既不动声色又刺激好玩。一年到头，除圣诞节外，Moore橱窗设计的第一印象，几乎都是"艺术场景"，投入"场景"之后，你才发现里面的珠宝首饰价值连城，才猛然醒悟这是一间世界顶级珠宝名店。

Gene Moore的橱窗设计之二：一串TIFFANY珍珠项链和珍珠耳环横在公路上。选自《TIFFANY&CO.》。

Gene Moore的橱窗设计之三：一只花蝴蝶在歇息。
选自《TIFFANY的20世纪》。

我最喜欢Moore橱窗设计艺术的，是那种强烈的对比精致昂贵与粗糙原始的巨大反差。例如，一只由蓝宝石、绿宝石和钻石镶在黄金上制成的珠宝蝴蝶，翩然飞临一条粗草绳上。骤眼一看，还真以为一只花蝴蝶在歇息。直让我叹为观止，惊为天才。

1995年Moore退休，这位橱窗艺术泰斗的40年光辉依然四射。不仅他的回忆录《我在TIFFANY&CO.的岁月》大受欢迎，有关他的橱窗艺术的画册也热烈畅销。每次去纽约，我都不愿错过欣赏TIFFANY橱窗的每一个机会，也从来没有失望过。有Gene Moore珠玉在前，TIFFANY橱窗设计的威猛传统至今不坠，并继续吸引纽约人、游客、艺术院校的学生、电影人和艺术爱好者、珠宝爱好者，前来会心一笑或衷心赞叹。

TIFFANY的祝福

表带型铂白金和钻石手镯。
选自1999秋冬广告。

看完建筑和橱窗，可以进入TIFFANY&CO.的大门了。

一楼大厅，是TIFFANY的珠宝首饰重地。在这里，你可以看到定价从美金1500万元到数百元的各种珠宝首饰，最新款的设计和TIFFANY各个时期的经典济济一堂。

去冬和今春，我最喜欢一款铂白金和钻石手镯，形似一条没有表盘的手表表带，看上去那么斯文高贵，却又清新简洁。

大大小小的丝巾／领巾，本是一身衣着打扮中的点睛之笔。最近，TIFFANY新出品一批丝巾／领巾型的项链，分别有黄金、白金和白银三种材料供选择。从来没想象过贵金属可以用于制作"领巾"，而且看起来线条柔和舒服、楚楚动人。

看见这样的新意思，真的令人眼前一亮。

不过，历史上TIFFANY的新意思不仅局限于时尚界。早在1958年4月28日，美国《时代》周刊的姐妹刊物《生活》杂志刊出一个专题，评介宝石头带的再生。上面刊登了一张照片：模特儿戴着一条价值美金20万元的TIFFANY钻石项链在头上，出其不意地复活了这种头饰。把项链当头带来戴，这是当时TIFFANY&CO.的公关大员Baldridge女士大力鼓吹的新意思。这照片刊出3年后的1961年，肯尼迪当选美国总统，肯尼迪夫人邀请Baldridge女士出任白宫社交秘书。再后来，Baldridge女士成为美国最权威的社交礼仪作家，新作迭出至今。

经典为何不老？此为答案之一。

经典为何不老？请看 TIFFANY 以项链作头带的新意思。
选自《TIFFANY 的珠宝》

乘电梯到二楼，来到婴儿/儿童礼品部。西谚云："含着银匙出生"，比喻婴儿降生于丰足富裕之家。每次看到 TIFFANY 的婴儿/儿童用品，如茶杯、餐具、首饰等，这句西谚就自动跳出来，多么美好的祝福！但我从来没有福气享受这种"幼吾幼以及人之幼"的情怀。终于机会来了：我洋插队早期的一位同学，去年生了一个女儿。我第一时间去本地的 TIFFANY&CO.分店买了一套儿童餐具，寄给远在几千英里外的同学，祝她的女儿一生幸福。同学也是 TIFFANY 的拥趸，收到礼物后决定把这套餐具摆在正式饭厅的陈列柜里。我力劝她给孩子用这套餐具，她舍不得："看着就能感受到这份 TIFFANY 的祝福。"

TIFFANY 的祝福："海滩"儿童餐具系列。
选自 1999 春夏季目录。

同学珍而重之的这套儿童餐具，有杯子、碟子和碗各一个。精致幼细的瓷质，鲜艳活泼的颜色，尤其是画面上那些救生圈、水桶、铲沙的铲子以及船帆飘飘的航海模型，简直把我的童年梦想明朗化、清晰化了。我的童年没有沙滩、没有大海。但不知为什么，当我几年前第一眼看见这套儿童餐具，我就认定：童年，这才是我向往的童年！

最上镜名牌

TIFFANY 不仅是一家珠宝名店，它更代表了一种生活的格调。从婴儿/儿童用品到带浮雕花纹的信封贺卡，从纯银婚礼蛋糕盘子和蛋糕切刀到金银钢笔，从纸巾盒到钟表，从水晶高尔夫球到金银相架，从真丝头巾到领带，从雪茄刀到高尔夫球记录簿，TIFFANY 记录的，都是我们生命中最重要、最幸福、最美丽、最优雅、最开心的时刻。

生命中最幸福、最美丽的时刻之一——婚宴上的 TIFFANY 水晶杯。选自新娘系列。

前年，一出日本电视剧中，新人类男主角送给女主角一个 TIFFANY 水晶苹果，作为定情信物。电视剧播出后，全日本的几十间 TIFFANY&CO.分店的水晶苹果被抢购一空，并创下 waiting list（候买名单）长度的新记录。此电视剧在香港播出后，令香港的几间 TIFFFANY&CO.分店门庭若市，外加电话线爆棚——都是来咨询购买水晶苹果的。

在亚洲引起抢购疯潮的 TIFFFANY 水晶苹果。
选自 1999 秋冬目录。

从 40 年前的奥斯卡名片《TIFFANY 的早餐》到 1998 年的日本电视剧，TIFFANY&CO.和电影、电视的缘分深矣！有的人，在相片或电影、电视镜头里，比真人更美、更有光彩，这样的人，真的很幸运，因为他们很上镜。人有上镜和不上镜的差别，现在看来连名牌也有上镜和不上镜之分。人上镜与否，和他／她的五官、容貌有关；名牌上镜与否，已超越一件具体的作品，而取决于它的历史和气质。有哪一个名牌，能够像 TIFFANY&CO.这样，在银幕和屏幕上拥有穿越时空的魅力？选最上镜名牌，舍 TIFFANY 其谁！

风烛残年 vs.青春亮丽

这只在亚洲声名大噪的最上镜水晶苹果，在它的老家，陈列在旗舰店的三楼。这里是水晶、陶瓷和金银餐具的世界。

记得我第一次上到 TIFFANY&CO.总店的三楼，迎头看到的是一列三张的餐桌，全部以 TIFFANY 的餐具和餐桌用品布置，看得我几乎透不过气来——实在太超出我的想象力了！

迎面的第一张餐桌，桌子的木料粗糙干裂，一付风烛残年、“朽木不可雕也”的破败。就在这片风烛残年之上，摆设着 TIFFANY 的水晶酒杯、纯银刀叉、陶瓷碗碟，当然，一定还有 TIFFANY 的水晶蜡烛座。每个座位的全套餐具，都配上淡粉红色和淡绿色的格子餐巾。好一片晶莹，好一派精致，好彻骨的浪漫，好一个风烛残年 vs.青春亮丽！

接下来，是一张低调地华丽的餐桌，像一位有品味但不张扬的优雅淑女。最后一张是高调、豪华的古典风格的餐桌，金碧辉煌，让人联想到富丽堂皇的王宫。

这三张餐桌南辕北辙的风格，充分显示了 TIFFANY 在餐桌布置方面的三项全能冠军：前卫浪漫、经典优雅和王室气派。

每次去纽约，我最喜欢逛博物馆。在我心中，TIFFANY&CO.总店就是一座格调和品味的博物馆，而它的三楼，就是这博物馆里的“饮食浪漫主义”馆，每七个星期，餐桌更换一次。TIFFANY&CO.的曼哈顿旗舰店，真是个想起来就温暖的地方。

“舒服派掌门人”

如何把从父亲处借来的1000元美金，在65年之内，变成3500万外加一个不朽名牌？TIFFANY&CO.的创始人 Charles Tiffany 交出一份漂亮的传奇答卷。他于1902年去世时，财产已达3500万美元——1902年的3500万，若换算成现值，绝对是超天文数字，堪称商业奇才。

创始人的儿子Louis Comfort Tiffany，则是个艺术奇才。他的名字译成中文就是：路易·舒服·Tiffany，哇，这名字真好！粤语有谚云：“不怕生错命，最怕改错名。”有什么比舒服更高的境界呢？我第一次看见他的名字，就快快封他做“舒服派掌门人”。倒也是，如果你热爱艺术，又有丰富的创造力，刚好又继承了父亲大人的巨额遗产和一个显赫名牌，你能不舒服吗？

左、中（背景）、右："舒服"Tiffany作室内设计的白宫蓝屋和红屋。
选自《TIFFANY的20世纪》。

舒服的TIFFANY传人，果然有条件为艺术而艺术。他最初是以画家身份出道，但他最擅长的，是装饰艺术。1879年，他和他的导师们共同创立了Associated Artists,不出三年，就获得一个名垂青史的项目：为美国总统官邸白宫做室内设计，他主持装饰了白宫的东屋、红屋、蓝屋和国宴大厅。这些至今都是白宫的主要社交场地，现在仍然向游客开放，在没有国事活动的日子。

"舒服"Tiffany是室内设计师的开山鼻祖，他长期和美国最著名建筑师之一的Stanford White合作，为White的建筑做室内装饰。White的代表作之一是TIFFANY&CO.1905－1940年的总店，位于第五大道和37街的拐角处，被誉为"威尼斯宫殿"。"舒服"Tiffany的室内设计杰作除了马克·吐温的豪宅和白宫之外，还有1918年的古巴总统府。当然，最人间仙境的设计，要数"舒服派掌门人"自己在长岛海滨的夏季别墅。在那里，他与（老）Teddy罗斯福总统为邻。而他在这个代表装饰艺术高峰的豪宅里举行的parties（派对），被《纽约时

TIFFANY&CO.1905－1940年10月的总店，一座16世纪威尼斯宫殿风格的建筑，在1905年被誉为"当代最巨大的艺术成功"。难怪有为数不少的TIFFANY顾客对这座建筑物依依不舍。
选自《TIFFANY&CO.》。

报》称为"奇迹"、"纽约历史上从未见过的最气派的化妆晚会"。

1902年创始人Charles Tiffany去世后，"舒服"Tiffany被任命为TIFFANY&CO的设计总监。从这时开始，"舒服"Tiffany才开始珠宝设计。他的父亲统领下的TIFFANY&CO.，偏重于宝石自身的硕大和完美，而到了儿子执政时代，"舒服派掌门人"更注重珠宝首饰的设计艺术。TIFFANY&CO.除了继续热卖钻石、蓝宝石、绿宝石、红宝石和珍珠首饰外，"舒服"Tiffany更情迷东方色彩的宝石，例如翡翠(jade)、天青石(lapis lazuli)、月亮石(moonstones)、蛋白石(opals)等，他的首饰作品充满了东方情调。这种情调甚至蔓延到了他的餐具设计、玻璃窗设计。

"舒服"Tiffany的紫葡萄围巾，浓得化不开的浪漫。
选自大都会博物馆1998秋冬目录。

这些宝石的颜色是"舒服"Tiffany的最爱。他的彩色玻璃窗和窗饰作品，由于采用了这些东方情调的颜色，而显得独特鲜明，尤其他的描绘大自然四季的水果鲜花图案，在豪宅和教堂的建筑中有着巨大的需求，艺术上与后印象派画家相提并论。有巨富买下"舒服派掌门人"的紫色葡萄窗玻璃作品，献给纽约大都会博物馆(MMA)。博物馆把这紫色葡萄图案印制成真丝和丝绒围巾，在博物馆内附设的书店出售。MMA的书店是美国最大的艺术书店，在美国和世界各地有42家分店。而"舒服"Tiffany的紫葡萄围巾，成了MMA书店历史上最畅销的礼品之一。围上这种"舒服"Tiffany的作品围巾，就像围上了一层浪漫。

新艺术和灿烂灯具

和法国的玻璃艺术家Rene Lalique一样，"舒服" Tifffany受到英国"艺术和工艺运动"(Arts & Crafts Movement)领袖William Morris的巨大影响。这些艺术家坚持：面对工业化大生产，艺术和工艺的水平必须保持。"舒服" Tiffany把这些艺术理念介绍到美国，并把自己的设计生涯概括为"美的追寻"。

无论是陶瓷、餐具、首饰或彩色玻璃作品，"舒服" Tiffany都热衷于不规则线条和抛物线圆拱、镶边装饰以及铜绿和镀金表面。在今天的科技时代，这些可能是易如反掌的事。但在一个世纪之前，那是无比的想象力和创造力，并从此改变了世界的设计历史。也因为如此，"舒服" Tiffany获得了"新艺术"（Art Nouveau）的美名，或者干脆就叫做"TIFFANY风格"(the Tiffany Style)。前者是艺术和学术界的术语，后者是比较大众化、易听易懂的名称。

今天，"舒服" Tiffany最为人称道的是他的彩色玻璃灯罩。据他的外孙Henry Platt披露，"舒服"Tiffany认为爱迪生发明的灯泡非常丑陋，他因此要制作灯罩来"遮丑"。就这样，TIFFANY灯罩成了当代所有灯饰灯具店的经典项目。不仅有客厅的落地灯、书房的台灯、卧室的床头灯、饭厅的吊灯，连厨房炉灶的正上方，也悬挂着宽大的TIFFANY厨房灯。更有甚者，TIFFANY灯还照亮了你家里的英式桌球台。不然，赫本为什么感谢TIFFANY&CO："你的灿烂灯具，照亮了我们的家。"

今人仿制的TIFFANY英式桌球灯。

我每次到灯具店或大商场的灯饰部，都要浏览那些今人仿制的TIFFANY灯罩，希望看到新的"变奏"版或创新版，就像看后人仿效CHANEL的"小黑裙"一样，是一件非常享受、非常养眼的事。到处都是仿TIFFANY风格的彩色玻璃灯罩，好像我们已习以为常。不过，还有令人刮目相看的，那就是"舒服" Tiffany工作室的真迹出品。据苏富比拍卖行的资料，一

TIFFANY 的灿烂灯具，照亮了我们的古董收藏——一个有“舒服”Tiffany 工作室签名的 TIFFANY 台灯，1990 年拍卖成交价是 44 万美元，现在，已涨到美金 55 万至 70 万元。
选自《TIFFANY&CO.》。

个有“舒服”Tiffany 工作室签名的 TIFFANY 台灯，1990 年拍卖成交价是 44 万美元，现在，已涨到 55 万至 70 万元美元。TIFFANY 的灿烂灯具，何止照亮了我们的家，它还照亮了我们的遗产、我们的古董收藏。

TIFFANY是一种生活方式

喜欢TIFFANY的广告，从春天的中央公园开始。

人生的春天——经典的TIFFANY六爪镶嵌订婚钻戒。
选自1997广告。

纽约曼哈顿的中央公园，初春的草地回黄转绿。一位西服革履的英俊青年，坐在长椅上，手里拿着一个小小的TIFFANY蓝色礼物盒，正回头张望。从身体语言，可以感受到他的虔诚和爱心：他在等待那个将要接受这份TIFFANY礼物的人。这位幸运、幸福的人是谁呢？从我第一眼看到这个广告，就自动对号入坐：希望自己是那个被等待被盼望的人，不仅接受一份TIFFANY礼物（经典的TIFFANY订婚钻戒），更接受一份爱情和诚意。

人生的夏天——送礼在歌剧院。
选自1998春夏广告。

夏天的晚上，歌剧院里灯火辉煌。一位年轻的女子，旁边的座位空着，椅子上放了一个蓝色的TIFFANY礼物盒。她在等待什么人呢？这个人将会陪她看歌剧、听音乐会、看画展、飞到世界各地看各种她感兴趣的展览：如老爷车展、时装展、音乐节等。如何向这个人表达她的爱意和谢意？无以为报，唯有以TIFFANY的礼物相许，一切无言感激都在那静谧的天蓝色中。

TIFFANY的夏天礼物——ATLAS系列的纯银男装手表，TIFFANY历史上商业最成功的男装手表。

秋天，在豪华火车的餐车上，一位两鬓染霜的绅士，送给他心爱的女士一个16颗钻石加黄金和白金制成的戒指。戒指由著名的宝石大师Jean

人生的秋天——TIFFANY的16石钻戒。选自1998年秋季广告。

Schumberger设计，TIFFANY出品。女子已不年轻，双手打开蓝色的TIFFANY礼物盒，眼角的鱼尾纹带出内心的喜悦和笑意。这可能是绅士送给太太的结婚周年礼物，也可能是生日礼物，总之是执子之手、与子偕老，一掷千金爱人笑，无人知是纪念来。

冬天，遍地白雪覆盖。一位英伟的男士，在苍茫的夜色中走到了家门口。他左手拖着一颗新鲜的圣诞树，右手挽着一个TIFFANY的天蓝色购物袋，里面是TIFFANY的珐琅和黄金手镯。他身上的大衣和手上的手套显示了隆冬的严寒，但他家的窗户洒出来的灯光，是那么温暖。他手里提着的TIFFANY礼物，正是送给和他组成这个温暖的家的那个人。想起古人的"踏雪寻梅"，这幅画面就叫做"踏雪送TIFFANY"吧。

人生的冬天——踏雪送TIFFANY礼物。选自1997冬季广告。

春夏秋冬，如果都有TIFFANY的礼物陪伴着，人生就像一片瓦蓝瓦蓝的天空——TIFFANY礼物盒的那种蓝。

名人大师俱乐部

我第一次在TIFFANY&CO.的总店三楼看到那张"风烛残年vs.青春亮丽"的餐桌，无比震撼。我问可否拍照，回答是：出于保安原因，店内不能拍照。我就说：请把这些展出的餐桌汇集成书出版吧。这么美丽和创意十足的饮食浪漫主义杰作，七个星期就撤走，太浪费了。

其实，TIFFANY&CO.本身就是书香门第。80年代出版的六部TIFFANY历史画册／著作，以《新TIFFANY餐桌布置》为头炮，拉开了TIFFANY著作等身的序幕。更羡煞时尚界的是，这套丛书的责任编辑是前第一夫人杰奎琳·肯尼迪·奥纳西斯。70年代末希腊船王奥纳西斯去世后，杰奎琳回到美国。这位被美国人奉为最美丽、最有品味的前第一夫人，以美国时尚“王室”的身份，担任TIFFANY历史著作的编辑。使她在TIFFANY珠宝首饰最显赫顾客的身份之外，再多一个TIFFANY风格传播人的头衔。杰奎琳念大学时的专业是传媒，做了20多年锋头无两的肯尼迪总统夫人和船王夫人后，重新回到出版界，做的又是美国时尚的殿堂级名牌TIFFANY&CO.著作的编辑。实在没有比肯尼迪夫人更有资格的编辑了。

1994年杰奎琳逝世时，被安葬在肯尼迪总统的墓穴旁边，伴着1963年遇刺去世的总统和长明不灭的火焰安息。各主流传媒的头条标题都离不开这样的慨叹：“三十年后玉人归来。”

TIFFANY&CO.历史上除了拥有美国最伟大的装饰艺术家、玻璃艺术家“舒服派掌门人”Louis Comfort Tiffany之外，还有二次大战前后欧洲最时髦、最受尊敬、最时尚的珠宝首饰大师Jean Schlumberger。杰奎琳·肯尼迪就是他的忠实顾客之一。此外，TIFFANY还拥有Elsa Peretti这样的现代派简约风格的珠宝首饰名师，她不仅让时装编辑们重新发现了银制首饰这片被遗忘的旧大陆，更发明了“钻石数以码计”(diamonds by the yard)的碎钻镶嵌法——把小颗钻石镶入长细的黄金链条中。只有TIFFANY的会计师才知道Elsa Peretti给TIFFANY&CO.带来的空前商业成功有多大。

好像TIFFANY&CO.注定是名人大师俱乐部似的。

TIFFANY的简约派珠宝名师Elsa Peretti设计的水晶蜡烛座，是另一长卖长红的经典。选自2000秋冬目录。

幼年的Paloma（右一）和父亲毕加索（左二）、母亲及哥哥在一起。

1980年，毕加索最小的女儿Paloma Picasso加盟**TIFFANY**，成为TIFFANY的珠宝首饰设计师。其实，她和**TIFFANY**的缘分可以追溯到1966年。那一年在意大利的威尼斯，美国艺术收藏家Peggy Guggenheim为Paloma的母亲Francoise Gilot举行午餐会。一位美国艺术家John Loring在这午餐会上认识了这位毕加索最小的女儿，那时她才16岁。据Loring回忆，他们从此成为朋友，常常讨论Paloma的设计前途，包括和两人均有关系的法国时尚名牌Yves Sanit Laurent（圣罗兰）。Paloma大学毕业后为圣罗兰设计时装首饰，同时为希腊的一家公司设计黄金首饰。

1979年，John Loring成为**TIFFANY&CO.**的新一任设计总监，他和Paloma的长期友谊终

1987年，为庆祝TIFFANY&CO.的150周年店庆，毕加索的女儿Paloma特别设计了这一条钻石、彩色宝石和半宝石的项链，还有同一系列的耳环。这也是她最重要的作品，她亲身演绎这套重要首饰。
选自《TIFFANY的20世纪》。

于结出不寻常的果实 John Loring把她引荐给TIFFANY当时的老板Hoving和总裁Henry Platt（"舒服派掌门人"的外孙）。从此这位毕加索的女儿在TIFFANY大放异彩。她把她的父亲、20世纪最伟大的艺术家毕加索的颜色和线条，带入TIFFANY的珠宝首饰中。她热爱体积硕大、颜色大胆鲜艳的宝石和半宝石，这和TIFFANY&CO.的创办人Charles Tiffany的喜好相似，毕加索的传人又回到了TIFFANY的传统。贵金属打磨得无比光亮的表面，也是她的典型风格。毕加索的传人和TIFFANY真的水乳交融，她的线条简洁的几何设计，她的著名的"X"标记，和TIFFANY整个20世纪的现代经典风格配合得天衣无缝。我非常喜爱她为纪念TIFFANY&CO.150周年店庆而设计的钻石和彩色半宝石项链，以及她的镶嵌钻石和半宝石的袖口型黄金腕饰，真是既华贵又现代的典范。在TIFFANY，还可以买到Paloma Picasso设计的手袋系列。毕加索的传人真的无愧于毕加索这个伟大的姓氏。

TIFFANY 的新人类

那么多的名人大师和 TIFFANY&CO.结下不解之缘，那么，普罗大众是如何一亲 TIFFANY 芳泽的呢?

两年前，我被公司同事抓差，给老板和夫人及总经理选购圣诞礼物。大家都说这么多年礼物的点子都用光了，希望我搞搞新意思。我的第一反应是说“不”，因为这绝对是吃力不讨好的苦差。但一想起名店 TIFFANY&CO.，立即“临急受命”（此时离圣诞节只有两天了）。同事们还以为我被他们的甜言蜜语灌醉了呢。其实我对这类“你是送礼大师”的擦鞋（粤语：拍马屁）话刀枪不入。只是，我有名店 TIFFANY 成竹在胸。想想看，用大家集资的“血汗钱”，逛名店洒金钱，这么时髦时尚的“为人民服务”精神，咱还是有的。

老板不解名牌风情，我建议我的守财奴上级给老板买个傻瓜相机。这位谨慎投资致富的守财奴和其他同事都赞我“你办事，我们放心”。于是，我直奔 TIFFANY，给老板娘买了一个陶瓷的 TIFFANY 白蝴蝶结天蓝色礼物盒子，这是 TIFFANY 的象征，也是我最喜欢的 TIFFANY 出品之一。本来，我打算给总经理买一对 TIFFANY 的衬衫袖扣，不料袖扣售罄。幸好平时刻苦钻研 TIFFANY 的产品目录，让我急中生智，转买一条 TIFFANY 领带。经此一役，才体会到不但“书到用时方恨少”，TIFFANY 的产品目录一到用时亦恨少。

公司圣诞派对上，我负责把礼物呈送给老板娘。她的答谢词是：“啊，TIFFANY，这么高贵的地方，我从来没有进去过。”

男士的心头好——TIFFANY 袖扣。
选自 1999 和 2000 秋冬目录。

ATLAS系列中的真丝领带。ATLAS系列从珠宝首饰、钟表到领带，都是TIFFANY历史上最畅销、最成功的系列。它的现代简洁确实抓住了新旧人类的心，尤其以男装纯银腕表和座钟最得我心。
选自1998－1999目录。

新年假期之后的一天，总经理戴着这条TIFFANY领带笑眯眯地告诉我："昨天我去森林工业协会演讲（天晓得他怎么一直当着这协会的主席）。散会后，一位听众问我领带在哪儿买的，并说前晚在电视上看到一位名人戴了同一款领带，上台做嘉宾。我告诉那听众，这是TIFFANY领带。"

有什么比这令我这"礼物买手"更开心的呢？我恨不得下一个圣诞节快快来临。我问总经理："你儿子见过这条领带吗？"他连连摆手摇头："千万不能让他看见，不然这领带就被他据为己有。"总经理是一位风度翩翩、温文尔雅又幽默风趣的六旬绅士，非常乐意和我们群众打成一片。他的儿子是波士顿大学的学士、英国牛津大学的硕士。他不仅年纪轻轻就高职厚禄，而且常常买名牌衣服送给父母。在多家跨国公司任职后，现在成了一家新的.com公司的高级顾问，是那种有钱（数十万美金年薪加丰厚内部股票）又有品味的新人类。总经理太了解自己的儿子了，这样的现代派新人类，正是TIFFANY的新一代忠实拥趸。

TIFFANY的瓷质蓝盒子，既是TIFFANY的标志，又是TIFFANY最受欢迎的礼品之一。
选自1999春夏目录。

镶嵌月亮石的纯银吧具——各位热爱吧文化的新人类，TIFFANY的这套吧具令你心跳加速吧——售价4万美元。
选自1999－2000目录。

香水的诺贝尔奖

本文开头引用的赫本写给 TIFFANY 的生日贺词，至今已有 13 岁了。在这 13 年间，TIFFANY 当然又有了很多新的创意。相信很多 TIFFANY 的拥趸，会时时关注着 TIFFANY 的每一条消息，留意每季 TIFFANY 的产品目录和广告，盼望 TIFFANY 为我们的生活带来新的惊喜。

对我来说，这 13 年中，TIFFANY 对时尚的最大贡献，就是推出 TIFFANY 香水。这种香水香味清新甜美，既不浓烈刺鼻过分喧哗，也绝不淡如白开水索然无味。TIFFANY 香水令人陶醉的香味，透出一份平和、舒适与优雅。系出名门，却毫不炫耀，一如 TIFFANY 的珠宝首饰、银器、水晶、餐具、手表和其它礼品的设计风格。

有了 TIFFANY 香水，TIFFANY 迷们无论出外还是在家，无论白天还是黑夜，无论写作还是睡觉，都可以让 TIFFANY 溶入我们的身体，滋润我们的心境。只要你享受 TIFFANY 的美丽情怀和 TIFFANY 香水的甜美清新，TIFFANY 就可以日日夜夜陪伴你：餐桌上和浴缸旁点燃 TIFFANY 香水味的蜡烛，那是不一样的浪漫；TIFFANY 香皂、沐浴液以及 TIFFANY 润肤霜更是浴室里不可或缺的必需品；枕头上洒上 TIFFANY 香水，甜梦随香味而来。

TIFFANY 的香水家族。
左为经典的 T I F F A N Y 香水，其瓶子以 TIFFANY&CO. 曼哈顿总店建筑为造型，面世第二年即获 FIFI 设计大奖——香水的诺贝尔奖。
选自 1998 冬季目录。

TIFFANY 香水最初是为庆祝 TIFFANY&CO. 150 周年（1987 年）而面世的。十几年来，这香水被时尚评论界誉为“超越时空的经典”，其实这也正是对 TIFFANY 这个牌子的整体赞誉。TIFFANY 香水面世的第二年，香水本身和形似 TIFFANY 总店建筑的香水瓶一起，获得 FIFI 设计大奖——香水的诺贝尔奖。

TIFFANY一向注重“男女平等”，于是TIFFANY香水有了男装版——TIFFANY For Men。和其它TIFFANY出品一样，这香水在品味高尚的男士中也有着巨大的市场。最近几年，TIFFANY推出更年轻更活泼的香水TRUESTE，让仰慕TIFFANY显赫光辉历史和高贵气质的年轻一代新新人类，也拿到进入TIFFANY经典世界的钥匙。

有时闻到过路人身上飘来TIFFANY香水的香味，总忍不住悄悄多看那人一眼，真好奇这些“香味相投”者何等人也，结果每次都没有失望。TIFFANY，你是如此高贵又如此低调，能够认识和欣赏你的人，品味气质大概不会低俗吧？

华贵而又现代的TIFFANY香精。
选自1994年秋冬广告。

1999年春天，TIFFANY首次发行固体香水，盛在金银两色的金属盒子里。这个盒子做工之精细，岂止盒子这么简单？看上去，扁平的金属盒子本身就是一件闪闪发亮的首饰。看着这个不是首饰、胜似首饰的固体香水盒子，我就明白赫本对TIFFANY的赞美：“你的名字，代表着美丽、风格、完美的质量和永恒。”

如果TIFFANY香水早一些日子面世，让赫本有时间享用它，赫本写给TIFFANY&CO.店庆的贺词，可能会是这样：

亲爱的TIFFANY:

一件美丽的事物
是一份永远的快乐
这就是为什么
TIFFANY艺术的光辉
永不黯淡。

过去的150年
你的名字代表着
美丽
风格
完美的质量
和永恒。

你的珠宝首饰
使我们光彩照人
你的灿烂灯具
照亮了我们的家
你的银器和水晶
令餐桌熠熠生辉
你的餐具
给生活带来尊贵。

您的香水

让我们身心芬芳

你邀我赴你的早餐
由此你融入我的生命
——有多少人能说
他们在TIFFANY
享受咖啡和羊角包——
你的早餐
是我珍贵的记忆。

亲爱的TIFFANY，
生日快乐！
我祝福你
怀着我的爱
也怀着我的羡慕
——经历了150年的沧桑
你却没有一丝皱纹——
呵，原来，
经典永远不老！

〖注〗本文开头引用的赫本献给TIFFANY&CO.店庆的生日贺词，引自《TIFFANY的150年》。

VERSACE

留得长艳春华

伤逝

又到七月。每年的流火七月，都会想起一件事——很多年前的一件人生大事——高考。但从 1997 年起，七月心中多了一份伤感、一份怀念——伤逝时装大师 GIANNI VERSACE。

1997 年 7 月 15 日下午，正在上班无聊之际，忽然从 Internet 上看到一则令人震惊的消息：意大利时装设计师GIANNI VERSACE，当天上午在迈阿密海滨寓所台阶前遭枪击身亡。不愿相信，不敢相信，然而这是真的。

VERSACE 和 VALENTINO（华伦天奴）、ARMANI 一起，被誉为意大利高级时装的三驾马车。与 VALENTINO 的高贵精致不同，与 ARMANI 的低调典雅相异，VERSACE 的设计给人的印像是惊艳。大胆鲜艳的颜色、自然性感的线条、传统和叛逆共冶一炉，是一直求新求变的 VERSACE 万变中的不变。

1946 年，VERSACE 出生于意大利南方的 Calabria，母亲也是时装中人。从小耳濡目染，VERSACE 受母亲的启蒙和影响至深。设计路上，VERSACE 首先遇上意大利时装名牌GENNY和COMPLICE。从 1972 至 1978 年，他为 GENNY 设计小山羊皮和皮革系列，为 COMPLICE 设计晚装。这段炼历，使 VERSACE 认识了时装业中，设计艺术和市场现实之间的冲突与平衡。

意大利的"惊艳"派时装大师 GIANNI VERSACE，在他的 1994 年春夏季高级订制时装展上谢幕。这是我最喜爱的一季 VERSACE，也是最典型的 VERSACE。

致温柔颜色，还看粉红。

初出道的几年，也即是为COMPLICE设计晚装的时期，VERSACE已显露出他日后的堂皇和性感的风格。在1977年7月号的美国《时尚芭莎》杂志上，刊登了一则广告："GIANNI VERSACE和米兰，此时此地——一份完全的、全方位的奢华。"以一位名不见经传的新人的姿态，VERSACE的设计坦坦然表达了那份华丽的自信和浩荡的王者风范。

VERSACE自己的时装牌子在1978年秋冬季首次推出，同时他也为戏剧、歌剧和芭蕾舞设计舞台服装。VERSACE的作品揉进了精细的意大利印花和刺绣工艺，以及夸张耀眼的金色饰物。1989年，VERSACE在巴黎展示他的首个高级订制时装系列，从此踏上青云路，成为20世纪90年代最具影响力的时装大师之一。

数温柔颜色，还看粉红

作为高级时装界的超级明星，VERSACE的客户也是名流荟萃、星光熠熠。其中，穿着VERSACE设计极具个人品味的佼佼者，包括戴安娜王妃、ESTEE LAUDER（雅诗兰黛）的面孔——专用模特儿——Elizabeth Hurley，还有美国摇滚歌星Courtney Love等。

1995年的夏天，从北美洲到欧洲到香港，各大时装和时尚杂志几乎都在同一时间刊登一幅戴安娜王妃的照片：身穿粉红色VERSACE套裙，配以同色pill box帽子，在阅兵式上接受致敬。在全副武装雄姿英发的军人队列背景衬托下，戴妃愈发显得端庄妩媚、仪态万方。刚与柔的强烈对比，成就了这幅侠骨柔肠相辉映的动人照片。毕竟，数温柔颜色，还看粉红。

一直热衷于报道戴妃衣着的美国名流时装杂志《风格》，在1997年3月号上刊登一个戴妃的近期服饰的专题。其中最大一幅照片是：在美国的一个慈善筹款晚宴上和访问澳大利亚期间，戴妃两次身穿碧蓝色缎子单肩VERSACE晚装长裙，美艳不可方物！碧蓝的颜色、极具流动感的面料、简洁流畅的线条，一下子让我想到那美丽蓝色的多瑙河。

1997年7月号的美国《上流社会》杂志的封面，是戴妃身穿又一袭VERSACE设计的大幅照片。这是一款镶金色丝线于淡豆绿色滚边之上的白色单肩晚装长裙，淡雅宜人，气质高

"美丽、蓝色的多瑙河"。

戴安娜王妃的新生，VERSACE的淡雅。

雅，足见VERSACE的才华是美艳淡雅总相宜。和封面相配套，这一期《上流社会》杂志的专题是“戴安娜王妃的新生”，摄影师为时尚界天皇巨星Mario Testino。这一专辑中的戴妃，首次以直发示人，神情轻松，姿势舒适自如，青春洋溢，当然免不了一贯的容貌完美。

戴妃脱离英国王室（但仍保持威尔斯王妃Princess of Wales头衔）后，从外表到内心都重获自由。全世界爱戴她的人，都为她松了一口气，她终于可以过自己选择的生活了。作为20世纪最美丽的时装偶像之一，她的形象更吸引时尚界内外所有戴妃迷的关注：无须再以英国储妃的官方身份穿衣服了，她将选择哪位设计师的作品呢？除了继续穿她一向喜爱的Catherine Walker之外，VERSACE成了新晋的戴妃最心仪的设计师。VERSACE果然不负戴安娜王妃的厚爱，设计出一袭袭高贵美丽而又潇洒健康的锦衣华服，非常符合这位现代王妃的生活方式。从欣赏世界顶级男高音帕瓦洛蒂(Luciano Pavarotti)的音乐会——一条白色的线条极简洁的鸡尾酒短裙，到出席芝加哥的慈善筹款晚宴——一袭心型领口紫色晚装长裙，无一不是VERSACE的才华之作，无一不是戴妃的心水之选。

简洁的白色鸡尾酒裙，是戴安娜王妃前往欣赏歌剧男高音帕瓦洛蒂演唱会的心水服饰。要看现代王妃的样板，请看这个潇洒健康的戴妃形象。

一裙成名天下知

另一位英国美女Hurley更是因为穿VERSACE的设计而大红大紫。1994年春天，电影《四个婚礼和一个葬礼》的伦敦首映式之前，女演员兼女制片人Elizabeth Hurley默默无闻。那天，她只是陪男朋友Hugh Grant（该片主演之一）出席首映式。正是VERSACE一袭出位大胆的黑色丝绸"扣针"长裙，让并无出演该片的Hurley，在首映式上成为各国记者的焦点，一裙成名天下知。

Hurley是那种非常懂得欣赏自己的美貌与智慧兼得的女性。她的品味来自她对自己"魔鬼身材、天使面孔"的透彻认识，来自对身体展露尺度的恰到好处的把握。VERSACE的这一袭"扣针裙"，受到时尚评论界的热烈好评，其中最热烈的赞颂者之一，是纽约大都会博物馆时装馆的馆长Richard Martin（已故）。Martin评述道：这"扣针裙"清晰地表达了VERSACE运用PUNK（朋克）扣针的理念。PUNK文化起源自英国街头，这次由一位英国佳人把这袭PUNK扣针裙穿回家，正好公告天下：高级时装风格原来根植于英国的草根文化。

PUNK扣针裙，让Hurley一裙成名天下知。

这一袭"PUNK扣针裙"还成就了另一种意义上的经典——the little black dress（小黑裙）。就像CHANEL发明的小黑裙那样，"扣针裙"造型简洁，衬托出那些镀金扣针的华丽精致，和CHANEL以款式低调简约的衣裙衬托大串大串的costume jewelry，简直有异曲同工之妙。只是，VERSACE的"PUNK扣针裙"身体展露面积相当大，把小黑裙推上了妖娆和性感的高峰。只有大师才能打出如此漂亮的擦边球：惊世骇俗而又充满纯净的美感。

1997 年，纽约大都会博物馆时装馆举行 VERSACE 纪念回顾展，我和世界各地的众多 VERSACE 拥趸一样，决不错过这个向大师致敬的最后机会，专程飞到纽约看这个回顾展。毫无意外地，这袭"PUNK 扣针裙"被摆放在名为"里程碑"的第一部分，真是再恰当不过了：VERSACE 的"PUNK 扣针裙"，既是 PUNK 文化服装的里程碑，又是小黑裙的里程碑，更是 VERSACE 设计生涯上的里程碑。

回顾展上每一件展品都有详尽说明，这"扣针裙"的说明上，把这袭长裙命名为"Hurley 裙"，真是名符其实，实至名归。

美国化妆品 ESTEE LAUDER 的新面孔 Hurley，穿一袭鲜黄色 VERSACE 套裙作首次公开亮相。

这袭"扣针裙"不仅让 Hurley 瞬间成名，它在时尚界所掀起的滔天巨浪，更把 Hurley 顺势送上时尚汪洋大海的浪尖上——ESTEE LAUDER 的新面孔，并让她在这风口浪尖上闲庭信步至今。

1994 年，美国最大的化妆品公司 ESTEE LAUDER（雅诗兰黛）挑选新的专用模特儿。据时尚传媒称，这是自电影《乱世佳人》挑选女主角以来，选择面最广泛的美的选拔。尽管应征的美女明星名模如云，但桂冠仍由已"高龄"29 岁的 Hurley 摘得。在新闻发布会上，首次由 ESTEE LAUDER 公司高层人士陪同公开亮相的 Hurley，就穿一套鲜黄色的 VERSACE 套裙，明艳照人。呵，对了，半个多世纪前被选为影片《乱世佳人》女主角（并以此赢得 1940 年的奥斯卡最佳女主角奖）的 Vivien Leigh（慧芸李），也是一位英国美女。历史在这里又重复一次。

王室"乐与怒"

从来没有哪个时装设计师像 VERSACE 那样，对音乐，无论是歌剧还是流行音乐、摇滚乐，倾注如此巨大的热情。他对摇滚乐的热爱，如同他以一双审美的眼睛去看街头时装，并把街头时装带入时装的殿堂一样。那就是，让流行文化这种真实的生命活水，成为时装创新的动力。

麦当娜作为流行音乐的代表人物，不但是VERSACE的朋友，更于1995秋冬季，做了VERSACE一季的形象代言人。

一向认为不同语言之间专有名词的翻译（例如英文译为中文）是吃力不讨好、词不达意或精彩尽失的“双输”事，最有关的一例是把VERSACE译为“范思哲”（但愿这只是我的不习惯）。幸好，世事无绝对，例外还是有的。最得我心的是那些充满幽默感、亦庄亦谐的译名，例如根据粤语发音谐音译出的“乐与怒”（Rock and Roll，摇滚乐），不仅声似，而且神似——望文生义，脑海里立即浮现出摇滚音乐会上，歌手怒吼、长发狂甩、乐队重金属轰鸣、观众陶醉入疯狂状态的反叛精神世界——不愧是专有名词翻译的一绝。

几年前曾经看过一本关于VERSACE时装艺术的书，书名叫做《摇滚与王室》，联想起VERSACE对音乐尤其是摇滚乐的心血投入，看看VERSACE时装中“乐与怒”的鲜明色彩，尽管我当时对摇滚乐毫无兴趣，但对VERSACE还是佩服不已。VERSACE这个牌子，真是摇滚乐世界的“王室”。

VERSACE的“王室”地位不仅存在于精神层面上。戴妃这位最得人心的王妃，就曾亲身演绎一袭VERSACE晚装，非常的摇滚，同时又非常的现代王室。这一袭晚装，我把它叫做“王室乐与怒”。很难过的是，第一次见到这袭晚装，已是戴妃遇难之后。那是在美国版《时尚芭莎》1997年11月号的封面上，纪念戴妃的专题，就以这一袭“王室乐与怒”VERSACE晚装为点睛图片。

这袭晚装首先让我感到它很摇滚：钉绣在裙子上的那些金色和银色的金属颗粒，那些晶莹的蓝色rhinestone（水晶石），立即唤起一种摇滚的意味。接着，就是它的皇气而又现代的感觉：这么华丽的晚装，线条却是简洁得惊人，GIANNI VERSACE的超人段位，高就高在这里。

王室"乐与怒"。

戴妃是把现代气息带入英国王室的一缕春风，这一袭“王室乐与怒”晚装，却被她注入高贵优雅的气息，加上她脸上那淡淡的忧郁，真是楚楚动人。

第二次见到这袭“王室乐与怒”晚装，是在纽约大都会博物馆时装馆的VERSACE纪念回顾展里。毫无争议地，这袭晚装被展览在“里程碑”部分。我站在这袭晚装前久久不愿离去，好像在那里看出戴妃的美丽生命和VERSACE的过人才气。但是，共同成就这袭“王室乐与怒”晚装的两位人杰，都乘风归去了。只留下这袭晚装，供尘世唏嘘感叹，令后人怀想无限。

第三次见这袭“王室乐与怒”晚装，是在世纪末的《风格》杂志上。《风格》把戴安娜王妃选为20世纪的风格缔造者（The Style Setter）之一，其他榜上有名的还有：奥黛丽·赫本，杰奎琳·肯尼迪，摩纳哥王妃格蕾丝（Grace Kelly）、麦当娜、凯瑟琳·赫本等。如此重量级的排名，戴安娜王妃是榜上唯一的非美国人。

这次刊登在《风格》上的，是戴妃穿这袭“王室乐与怒”晚装的全身照片，令我非常佩服《风格》编辑的一流眼光。更重要的是，戴妃在这张全身照片里，没有了那份淡淡的忧郁，显得开心多了。亲爱的戴安娜王妃，我祝你开心快乐，无论天上人间！

Candle In The Wind 1997

英国摇滚乐巨星Elton John是VERSACE的拥趸和挚友，无论台上台下、公众或私人场合，VERSACE一手包办了Elton John的全副衣着行头。摇滚乐巨星最需要的明星光彩、与众不同的外表、对流行文化的信仰，这些通通都是VERSACE的强项。进入90年代以后，Elton John的外表早已青春不再，但他为什么在身形臃肿的中年仍星味不减？除了他的歌声变得可激越可柔情之外，VERSACE为他设计的明星服功劳巨大。Elton John1992年的世界巡回演唱会的系列演出服，就是VERSACE在摇滚乐舞台上的无声演出。

摇滚乐从来不是我的那杯茶，直到戴安娜王妃的葬礼。Elton John在戴妃葬礼上的声声泣血句句泪下的演唱，一下子打动了全世界热爱戴安娜这位美丽和慈善女神的人们的心。举行追悼会的教堂内，都是帝王将相（英国和各国王室的代表）、富商巨贾（长期支持戴妃做慈善筹款的亿万富豪朋友）、名流政要（如克林顿总统夫人、为戴妃颁发人道精神奖的前美国国务卿基辛格等），以及熠熠巨星（歌剧男高音帕瓦洛蒂、好来坞头号英俊小生 Tom Cruise 和太太 Nicole Kidman 等）。但是，最打动我的是教堂外含泪和着 Elton John 的歌声低声吟唱的普罗百姓。他们形容憔悴，神情哀伤，但是他们有唱出自己心声的自由。在这点上，他们是令教堂内的高贵者们羡慕的。

出席戴安娜王妃葬礼的好来坞巨星“代表团”：
左一：Tom Hanks，《阿甘正传》中阿甘的扮演者；
左二：Tom Cruise，《不可能的任务》的男主角；
右一：Tom Cruise的太太、好来坞红星 Nicole Kidman；
右二：大导演史匹堡，《辛德勒的名单》的导演。

戴安娜王妃葬礼前，看到预告：Elton John 将要在葬礼上翻唱自己的旧作 Candle In The Wind。这首歌是他年轻时为纪念玛丽莲·梦露而创作演唱的，这次为纪念戴妃，由合作多年的老拍档 Taupin 重新填词，歌名改为 Candle In The Wind 1997（《风中的烛光 1997》）。我当时很不以为然：玛丽莲·梦露怎么可以和戴安娜王妃相提并论呢？在葬礼上听到这首歌之后，当初的不以为然自动消失。

从来王室的人就被训练为喜怒哀乐不形于色的。但是，在葬礼上听到这首歌，戴妃的大儿子威廉王子还是忍不住眼泪夺眶而出。虽然没有报道戴妃的小儿子 Harry 王子听这首歌的反

戴安娜王妃的小儿子哈利王子献放在母亲灵柩上的白玫瑰花，以及怀念卡片"妈妈"。

应如何，但Harry王子以一个简单的怀念卡片让我心头一颤。卡片和一束白玫瑰花一起，放在戴妃的灵柩上，卡片信封上简简单单地只写了一个字：Mummy（妈妈）。

这无声的呼唤和有声的"烛光"，是我印象中最感人至深的葬礼场面。葬礼之后不久，我第一时间买来Candle In The Wind 1997的CD。美国、英国和香港的不少书店和唱片店 在这CD的发行期间，都在店堂里摆上淡黄色的玫瑰，点上蜡烛，整个调子都很切玫瑰和烛光的主题。很长一段时间里，我都只能重复听这首Candle In The Wind 1997。至于CD里的另一首歌Something About The Way You Look Tonight，是在心情平复之后才开始听的。也正是这首歌，为我打开了摇滚乐热火烈焰般的"乐与怒"世界的一扇小门。几年后听一个老朋友提起，她也是从戴妃葬礼之后，跟着Elton John的歌声走进摇滚乐的。

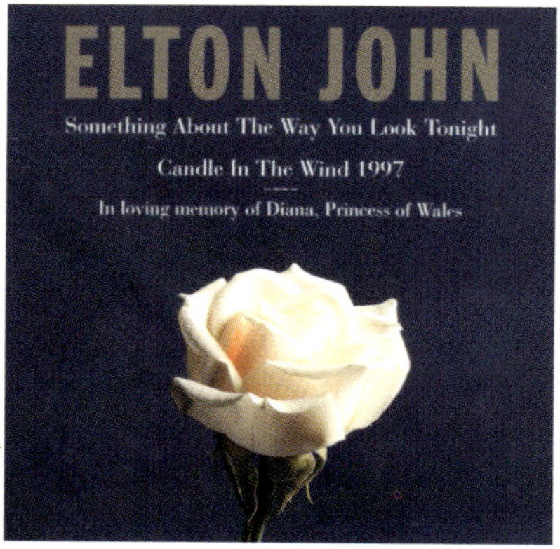

CD封面：Candle In The Wind 1997。

可怜这个Elton John，他刚于7月底和戴安娜王妃一起到米兰参加完VERSACE的葬礼。还没缓过气来，9月底又在戴妃的葬礼上唱挽歌，那份伤情，只能让Candle In The Wind 1997来诉说了。

曾经听过Elton John年轻时唱的Candle In The Wind，纪念玛丽莲·梦露的那个版本：年少轻狂，浅薄轻飘，倒也可以理解。Elton John也在成长，失落了岁月和朋友，换来了大气和深情。有时会超现实地想：情愿Elton John一生轻狂浅薄，也不愿见到戴安娜王妃香消玉陨的悲剧。

Elton John在戴安娜王妃葬礼上演唱《Candle In The Wind 1997》。

成熟后的Elton John也开始从非主流进入主流，但进入主流并不影响他继续用真心来唱歌。进入主流的标志是：在戴妃葬礼上唱完Candle In The Wind 1997之后不久，Elton John获英国女王授予勋爵爵位。授勋仪式上，他一如既往地穿着VERSACE为他设计的礼服。

摇滚也情深。Candle In The Wind 1997、歌里所唱的英格兰苍翠欲滴的山岗原野以及原野上的英格兰玫瑰一起，将永远盛开在我的心上，无论在哪个瞬间，我喜欢的是古典音乐还是摇滚音乐。

性感巴罗克

17世纪的巴罗克建筑风格，投影在VERSACE的时装设计上，得出精雕细琢、洋洋大观、金碧辉煌的效果。给我留下深刻印象的，是1992年春夏季的一袭形似日装、神似晚装——晚装的分量和质量——的套装。VERSACE营造的巴罗克美神，简直是从内衣到外衣、从衣服到鞋子、从耳环到项链、从手链到脚饰、从皮带到手袋，铺天盖地地、全方位地"发表"一份金光闪闪、夸张夺目的时装宣言。如果要给这套装命名，我会选择"性感巴罗克——金蛇狂舞"。它让我想起巴罗克风格的教堂，还有聂耳1934年整理改编的中国民乐曲《金蛇狂舞》。

张扬艳丽，是VERSACE。因为他不喜欢中庸或温吞水，他的设计总是一和鲜明高调的选

性感巴罗克——"金蛇狂舞"。

择，和单调乏味水火不相容。所以，每个穿VERSACE设计的人都知道，她/他们有很大机会过分炫耀或过度雕琢。但是，和所有真正伟大的设计师或艺术家一样，VERSACE知道：时装的新意思，只能产生于审美的创造。而设计的真正享受和乐趣，来自审美的冒险。

性感也是VERSACE喜欢冒险的审美领域。性感，简直是VERSACE的"签名"。VERSACE毫不隐瞒他对人体的崇拜，对人体美的欣赏，他很诚实地在他的时装设计中表现这种审美观，泰然自若。

像戴安娜王妃、Hurley和Love这类拥有完美身材的人，确实最适合穿VERSACE的设计。身材稍差一点儿的，都穿不出那份性感和美感。VERSACE的设计就是这样，不仅挑战你的钱包，还挑战你的身材，当然更挑战你的性感极限，挑战你对性感的理解力、承受力和宽容力。

套裙也性感

我最喜欢的VERSACE设计，除了那些"里程碑"作品外，还有他的整个1994的出品。

先看春夏季，大量运用具有金属光泽的面料和缎子，鲜艳的颜色倾诉着地中海式的热情，大气磅礴的造型展现着阿尔卑斯山般的高贵，华丽而又充满活力，性感而又健康，每一袭裙子都是一份惊艳。这一季可以称为VERSACE的"PUNK"扣针季，那条令Hurley一举成名的"扣针裙"，就出自这一季。能这样淋漓尽致地发挥想象力和创造力，即便对大师而言，也是可遇不可求的吧。

那个时代的美艳无比的超级名模们！她们走在VERSACE的天桥上，带着一身地中海的阳光气息，实在羡煞我们凡夫俗子、凡妇俗女。看那么多的时装展，觉得超级名模们在VERSACE的天桥上最亮丽，因为VERSACE营造的，是一种眩目的、令人目不暇给的美。

到了1994年的秋冬季，我又被VERSACE的另一个"新大陆"——套裙——所倾倒。有一

性感、反叛的套裙，宣示着VERSACE的喧嚣和摇滚，却又不失斯文，如同一片瓦蓝瓦蓝的天空。选自VERSACE1994秋冬广告。

套人造长毛绒套裙，颜色是瓦蓝瓦蓝的天空那种宁静的天蓝色，但是，配上夸张硕大的金属钮扣、闪闪发光的银色腰封，加上金属尖头的天蓝色过膝长靴，立即变得“乐与怒”起来。呵，原来，斯文的套裙也反叛、也摇滚。全副行头中，那对天蓝色的皮手套最是温柔

GIANNI VERSACE的意大利老家，位于COMO湖畔。波光粼粼、湖色空蒙，曾经给过VERSACE多少灵感。Helmut Newton摄。

一刀，但手套翻边的黑白豹纹还是和上衣的钮扣一起，流露出VERSACE的喧嚣与斑斓。极短的超短裙更代表了VERSACE的性感“签名”。VERSACE晚装的出色是尽人皆知的，但从1994年秋冬季起，他忽然唤醒“时尚工农千百万”：套裙也性感！

璀璨悲哀的夜空

看完VERSACE的时装展，《纽约时报》的时装编辑Amy Spindler评论道：“VERSACE的这一天在自己的时装展中结束。VERSACE的时装，是献给这样的女性：她既听古典音乐，又享受摇滚乐；她既读《The New Yorker》杂志，但看到花边新闻也会哈哈大笑；她喜欢用CALVIN KLEIN的牛仔裤来配衬VERSACE，或者用VERSACE牛仔裤来配衬CHANEL夹克”（《纽约时报》1996年3月8日）。VERSACE就是这样，既历史又现代，既阳春白雪又下里巴人。

迈阿密海滨一声枪响，送走了才华横溢的时装大师。他留下了一个包括高级订制时装、高级成衣、牛仔系列、配饰、手袋、香水和家具以及家居用品在内的时尚王国。我们怀念他，也希望他走得安慰：他为20世纪最后20年的高级时装，开拓了一个崭新的审美角度，他的设计留得长艳春华！

VERSACE已逝世3年了。有时想起他，就会想起一张Helmut Newton拍的黑白照片，是从VERSACE在Como湖畔的老家朝外看的景色：波光粼粼，湖色空蒙，一片肃穆寂静，黑沉沉的画面似乎昭示着不幸的阴影。

VERSACE英年早逝的悲剧，就像一幕漆黑的夜空，没有星星也看不见月亮。但是，在他生前的设计生涯中，他带给我们的，是如节日夜空中盛开的焰火烟花，万紫千红。但愿他的灵魂安息在这片火树银花中。我仰望这片悲哀的夜空，看见他在华丽璀璨的焰火中从容定格，烟花的温暖光芒照耀着我们。

GUCCI

GUCCI为什么这样红

缘起不灭

与GUCCI真是有缘。

很多年前，我所任职的公司到香港定制一批手表，送给客户。我看着漂亮，就买了几只，分送亲友，也留了一只给自己戴。手表是作公关用的"公司表"，表盘上自然是公司的名字。谁知戴上后不时被人称赞："你的手表真像GUCCI表，很漂亮！"我那时是名牌白丁，根本不知GUCCI为何方神圣，但从此记住了GUCCI这个响亮易记的名字。

经典而又现代的GUCCI手表，市场上广为模仿的对象。我最喜爱的GUCCI设计之一。
GUCCI1999年秋冬季广告。

几年以后，搬家到另一城市。有一天闲逛商店，远远见到一套盒装手表，线条简洁，造型现代，含蓄得来又亮丽悦目。走近一看，表盘上GUCCI大名赫然入目，哇！简直像是他乡遇故知，我心花怒放！更吸引我的是：这套GUCCI手表有12个不同颜色的盖圈，可以自由旋上旋下，方便配衬不同颜色的衣服，不同的心情和场合，这个新意思真好玩。而且，挑选配衬的过程还可以小小地满足一下自己的创造欲望，又一乐也。潮流兴“互动”，这套GUCCI表似乎和20世纪末令人眩目的新科技沾亲带故。先生则赞叹这真是太合算了：花一个手表的价钱买到了12个手表！我不得不对他的“经济学”写个“服”字。

GUCCI又一款“一表多色”套装手表。
选自1996春夏季广告。

后来，我回故乡广州度假，与一位时尚编辑朋友见面。一坐定，她就说“你的手表真漂亮。”我答：“谢谢，是GUCCI。”她说：“怪不得。”这位朋友年轻得满脸阳光灿烂，是如假包换的新新人类。GUCCI手表第一时间就抓住她的眼光，正好回答了“GUCCI为什么这样红？”“GUCCI为什么被大财团不屈不挠地收购？”这些时尚界的热门问题。

厨房杂工创名牌

回看GUCCI的历史，GUCCI绝不是新鲜出炉的“当红炸子鸡”这么简单。

1906年，一位名叫GUCCIO GUCCI的意大利小伙子离开家乡佛罗伦萨，到英国伦敦谋生，伺机寻找事业和人生的“新的增长点”。这位“打工仔”在伦敦豪华的RITZ酒店找到了工作，是当厨房的杂工，这可真是受苦受累又报酬低微的工作。但作为酒店员工，总有机会看见那些进出酒店的雍容华贵的客人。RITZ 酒店是世界顶级酒店，来往的客人都是王公贵族名流巨富。客人们不凡的气度、华丽的衣饰和贵气的行李箱包，给厨房杂工 GUCCI 留下深刻印象。过了一段时间，由于职业品行好，他被提升到餐厅当服务员。这样，他的大部分工作时间都花在这些贵客身边。这给了他极好的机会，近距离观察和感受这个阶层的品味和气质。名牌 GUCCI 的根子就这样种下了。

一想到意大利，人们总联想到文艺复兴，想起那些流芳百世的绘画、雕塑和建筑物，耳边响起美声唱出的意大利歌剧，当然还有手工精致的意大利皮具。GUCCIO GUCCI 就是一位"具有意大利特色"的皮具天才。RITZ 酒店的客人从头到脚的华丽，GUCCI 只看中了其中的行李箱包皮具。那些名贵材料制成的皮箱皮袋上，都镶篆着各自显赫家族的名字简写，或家族的头冠图案。那份尊贵的气派，成了日后 GUCCIO GUCCI 设计的灵感。

1999年春夏季出品的这个GUCCI袋，集GUCCI的双G符号和"绿红绿"的鲜明GUCCI标志于一身，想必是拥趸们的热门收藏对象。GUCCI1999 春夏季广告。

GUCCIO GUCCI 在酒店餐厅服务员的"任"上，和一位女裁缝结婚，婚后随即夫妻双双把家还。尽管 GUCCI 的还乡并不"衣锦"，但他却带着比"衣锦"更有价值的东西——高尚的品味、开阔的眼光和满脑子的创业大计——回到意大利。1922 年，他在佛罗伦萨开设了第一家箱包皮具店，店名就叫 GUCCI。很快地，GUCCI 的金色双 G 标记成了优质皮具的象征。接着，GUCCI 在罗马、米兰、佛罗伦萨等地陆续开设分店，生意网络扩展至意大利的所有大都会。

第二次世界大战后，由于皮革的短缺，质地坚固经久耐用的帆布被引进箱包制造业。GUCCI的两边绿中间红的条子图案，大胆又夺目地出现在GUCCI的用帆布制作的旅行箱、手提箱、钱包、提包、手袋和挂包上，和原先的双G符号一起，成为独特鲜艳的GUCCI标记。

GUCCI几十年前就创造了不少经典，例如竹节型挽手的手袋，以金属圈作装饰的皮鞋，为GRACE KELLY制作的真丝围巾等。1999年，以竹节作挽手造型的手袋又再次风靡全球，而且制造这股风潮的并非GUCCI，而是其它大牌子对GUCCI的"致敬"。

1953年，GUCCIO GUCCI去世。同年，他的早已进入公司决策层的3个儿子决定在美国纽约开设GUCCI分店，之后陆续有迈阿密棕榈滩和好来坞比华利山分店开张。60年代，GUCCI进军英法两国。GUCCI大步迈上国际化的征途。

王室婚礼礼品

这个JACKIE袋以美国前第一夫人JACKIE KENNEDY（肯尼迪夫人）为灵感和命名，在1999年春夏季全球共售出3万个。不是会计师也可想而知这个袋给GUCCI带来的利润。

GUCCI成了新的Rich&Famous（有钱和有名）的身份地位象征，一举一动均受传媒报道的好来坞大明星们纷纷追捧。20世纪50年代的好来坞一线巨星如奥黛丽·赫本、格蕾丝·凯莉（GRACE KELLY）、索菲亚·罗兰和影帝CARY GRANT以及JOHN WAYNE等人，成为GUCCI拥趸阵营中耀眼的星。

另一群GUCCI客户不是娱乐界的明星，但她们以高贵的品味和仪态在时尚史上流芳百世。这批人堪称20世纪上流社会社交界的钻石阵容，名副其实的世界顶级名女人。这钻石阵容包括了：美国前第一夫人杰奎琳·肯尼迪，"不爱江山爱美人"英国王室真人SHOW中的女主角温莎公爵夫人，以及全能歌剧女皇玛丽亚·卡拉斯。无巧不成书，这三位都是美国人，都已故。但她们的仪容风格气度仍为后世推崇备至，至今仍是媒体和出版界的热门题材。

1956年，格蕾丝·凯莉挟奥斯卡影后头衔、无可挑剔的美貌和高贵大方的气质，下嫁摩纳哥国王尼雷尔亲王，成为摩纳哥王妃。结合了欧洲王室的贵气华丽和美国MGM（米高梅）电影公司（格蕾丝·凯莉婚前所属电影公司兼凯莉婚纱的赞助商）的财雄势大，婚礼的排场和气派让欧美的民众和传媒津津乐道至今。当年出席婚礼的客人，个个非富则贵自然不在话下。在婚礼上，每个客人都获赠一份礼物——GUCCI的手套和围巾。GUCCI在上流社会的地位由此可见一斑。

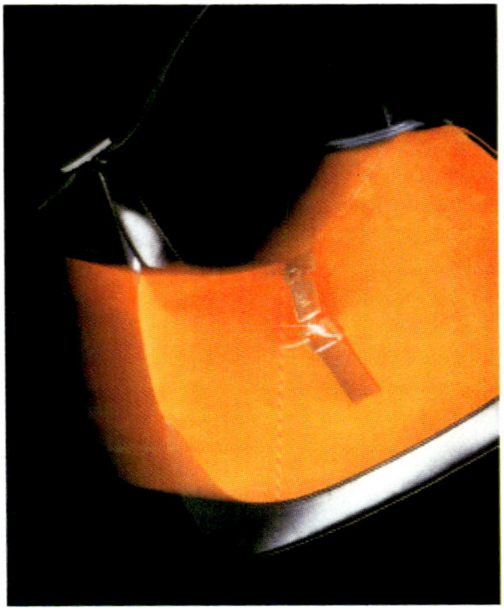

橙色版的JACKIE袋，风靡整个1999年。曾见过一位香港的名女士、淑女兼才女作家，肩上挂着这个袋，青春焕发，形象一下子年轻了10岁。
选自GUCCI1999春夏季广告。

高处不胜寒

到了20世纪70年代，GUCCI简直就成了一股时髦“疯”潮。《纽约时报》的时尚编辑称之为“GUCCI mania（GUCCI疯狂）”：脸上戴GUCCI太阳眼镜，脖子上系GUCCI围巾，肩上背一个GUCCI挂包，手腕上戴GUCCI手表，身穿GUCCI皮衣裤，脚上当然是一双GUCCI皮鞋！

有钱阶层和飞机头等舱的乘客，为了“品味正确”，为了符合自己的富贵身份，出门一定离不开GUCCI的行头，这已成为这个阶层的共识。就连在飞机上睡觉用的遮光眼罩，也离不开GUCCI出品。

GUCCI，站在了自创业以来的成功巅峰上。

然而，高处不胜寒。

GUCCI 实在太有名了，它的急剧扩张使其产品多达 14000 种。这也使 GUCCI 成了盗版市场的大肥肉，抄袭并廉价翻制的假 GUCCI 产品充斥黑市。一时间，人人似乎都在用“GUCCI”出品，GUCCI 失去了身份财富象征的名牌地位。

如何应对这种不利局面、挽救 GUCCI 的颓势，引发了 GUCCI 家族内部的激烈分歧。

继承家业的 GUCCI 三兄弟中，一向主张并亲力亲为打开美国这个 GUCCI 最大市场的 ALDO，成了 GUCCI 集团的 CEO（首席执行官）。其他家族成员开始质疑 ALDO 的经营策略和路向。ALDO 自己的儿子 PALO 甚至要脱离家族另起炉灶开创自己的名牌。为此，GUCCI 的董事会会议甚至由激烈争辩演变为大打出手的“全武行”，连 ALDO 也加入谴责自己儿子的行列。儿子PALO心生不忿，转而攻击父亲。他发现了父亲私藏公款的事。结果，作为CEO的ALDO以逃税罪入狱坐牢一年。

79 岁的 ALDO 刑满出狱后，情形以更快的速度变得更坏。

在 ALDO 服刑期间，他的兄弟 RODOLFO 立下遗嘱把公司传给儿子 MAURIZIO。ALDO 出狱后指控侄儿MAURIZIO 伪造亡父签名。MAURIZIO 的财产因此被政府冻结。虽然后来 MAURIZIO 沉冤得雪，洗清了不实的控罪，但 GUCCI 家族已不幸地分崩离析了。

1985 年，一间名叫 INVEST CORP.的美国投资公司买下 ALDO 持有的 50%GUCCI 股权。这样，MAURIZIO 成了 GUCCI 家族在 GUCCI 集团内的唯一存在。MAURIZIO 又坚持了 8 年，到了 1993 年，INVEST CORP.以 1 亿 5000 万美元买下 MAURIZIO 在 GUCCI 的股份。至此，GUCCI 完成了它作为家族生意的历程。

但是，GUCCI 的负面新闻还没有完。1995 年，即在卖掉所有 GUCCI 股份的两年后，MAURIZIO GUCCI 在自己的办公楼大门口被人枪杀。舆论顿时哗然，GUCCI 这个名字再次被摆上传媒的头版头条。这次，当然不是像顶峰时期那样被众星捧月般追捧着。

意大利警方花了两年的时间，才破获这宗耸动视听的案件。真相是：MAURIZIO的前妻花钱买凶手枪杀他。这真是令人唏嘘慨叹的结局。

一个美国英雄

从光辉灿烂的辉煌成功到生意滑坡、家族背叛、内斗甚至暗杀的黑暗期，GUCCI真是"辛辛苦苦几十年，一夜回到解放前"。

谁能使这个经典名牌从满目疮痍的废墟中站起来呢？

任GUCCI管理层如何想象，也想象不到：真正让历尽成功和磨难的GUCCI咸鱼翻生的，是一位GUCCI在70年代的小顾客，一位美国德克萨斯州的英俊少年，大名TOM FORD。

据他的中学同学和老师回忆，当同学们人人穿着松松垮垮、无型无款的衣服时，FORD已经显得品味独特

TOM FORD，这位70年代德克萨斯州的英俊少年，如今已是世界级的时尚潮流盟主。1999年荣获美国VOGUE/VH1时装和音乐大奖（最佳女装设计师），以自己设计的全身GUCCI男装"贩卖"他本人和GUCCI的魅力。

——他的简单健康但有型的衣着、他的潇洒的青春的发型，一直让他在同学圈子的“广大群众”中脱颖而出。这有他在中学同学录上的相片为证。看电视上FORD那些中学同学现如今开始走样的形象，再看FORD现在带着成熟味的有型有款，不禁让人面对这个冷酷的现实：同学聚会最显岁月沧桑！

FORD自己难忘他与GUCCI最初的缘分：一双GUCCI平底便鞋。他的便鞋是GUCCI的最小尺码，但他的脚却仍太小。他急切盼望自己的脚快快长大，好穿上这双名牌鞋。那时FORD随父母迁居到邻州新墨西哥。FORD回忆说，在70年代，在这个远离浮华世界的偏远地方，一双GUCCI便鞋是一件贵重的大礼。

因为儿子的恳求而送出这份大礼的母亲，非常担心儿子会迷恋名牌，会变得过于物质主义。FORD总记得母亲的喋喋不休：“做人不仅仅为了挣钱、做富翁或者占有物质。”母亲的理想主义和她对仪容礼节的重视，影响了小小少年的一生。今时今日，FORD已功成名就，当听到他说“这只是时装，这只是一条裙子”时，他的母亲非常欣慰：对名牌、对奢侈品，儿子有一份平常心。

1986年，FORD从纽约PARSONS设计学院毕业，获建筑设计学位。入行后，他发现建筑设计要和太多的公文、法律规例打交道，不适合他的的个性，决意转向时装设计发展。凭着他选修时装课时画的设计图和他的锲而不舍的电话求职攻势，纽约PERRY ELLIS里面的一个设计师职位，居然让他拿到手了。

1990年，FORD想离开纽约到欧洲发展。他说服了GUCCI当时的创意总监——美国人DAWN MELLO，把他从纽约聘请到米兰的GUCCI总部做她的助手。两人锐意把GUCCI现代化，希望再现GUCCI的昔日光华。但那时他们俩资源匮乏——没有足够的资金、人手和行政管理上的支持。不过，MELLO聘请FORD的决定，被时装史家视为她对时装界的两大贡献之一，另一贡献是拉开了GUCCI现代化、年轻化的序幕，代表作是GUCCI1992年的秋冬系列——既保持了GUCCI王室贵胄的高贵感，又注入了美国式的清新和活力，是GUCCI黑暗期里的第一道曙光。

到了1993年，INVEST CORP.买下GUCCI全部股份后，派了原GUCCI美国分公司的总裁DOMENICO DE SOLE到意大利GUCCI总部任COO，统领全局。DE SOLE到任后接到的第一个指令来自MAURIZIO（那时距他被枪杀还有两年）——开除设计师FORD。

不愧是精明的企业家，DE SOLE对GUCCI当时如履薄冰如临深渊的境况了如指掌：那时女强人MELLO已离开GUCCI，回到纽约执掌时尚名店BERGDORF GOODMAN。如果再炒掉FORD，GUCCI的设计部门将唱空城计。DE SOLE1944年在意大利出生，1970年获法律学位后往哈佛大学深造，获硕士学位并取得美国国籍，加入GUCCI美国分公司之前，是华盛顿的执业律师。DE SOLE本人对FORD并无好感，刚开始共事时，两个各自各精彩的人还互相瞧不顺眼，关系一度紧张。但，什么叫做有容乃大？请看DE SOLE的示范：虽被告知FORD难以相处、野心太大（这类"公司政治"是非，FORD听到的版本是："DE SOLE简直是个疯子"），但他却慧眼识英雄——FORD是驱动GUCCI这辆老牛破车的强力新引擎。对了，FORD碰巧也是福特汽车的名字。如此雷同，实属幸运。

正是天助英才，DE SOLE没有遵命开除FORD。这才有了后来GUCCI在FORD的手上大红大紫、重领风骚。

咸鱼翻生

临危受命的DE SOLE和FORD两人，携手合作的第一件事是：奔波在意大利TUSCANY地区的乡村公路上，寻找愿意几近无偿地接受GUCCI生产订单的工厂。风雨同路，两人之间有了信任。但是，GUCCI这个烂摊子实在是太烂了，两人都觉得：接手GUCCI，是一场后果难测的赌博。FORD当时的底线是，给这场赌博6个月的时间；而DE SOLE的后路是，随时可以重返法律界。

在一片风雨飘摇中，FORD被任命为GUCCI的创意总监(Creative Director)，那是1994年。

上任后的第一个系列（1995年春夏季），是50年代风格的印花裙子，朴素、生涩。来自时

GUCCI"咸鱼翻生"代表作。自此形像一出，GUCCI绝处逢生、一飞冲天，再次笑傲时尚江湖。
选自《时尚》03/99。

尚界的评论，往好里说，也只得"平淡"二字。

一番"闭门思过"后，FORD找到了原因：他还没有意识到自己已是设计总舵手，他还在有意无意之间取悦别人。于是，他为自己恶补"抓fit人"的心态：我是创意总监，我的风格可以为所欲为！

这时，FORD的另一半催促他，快打电话联络造型设计师ROITFELD和摄影师TESTINO。这两位年轻的大腕，当时正在为法国版的《时尚》和《魅力》杂志搞形象创造，以风格性感精致而名声大噪。问题是：他们太红了，不屑于理睬GUCCI——根本不回电话。FORD继续他的电话攻势，直到有一天，两位风头正劲的大腕终于被他温文尔雅的声音所打动，答应与他会面。会面之后，更为FORD的个人魅力所吸引，决定为GUCCI的广告摄影操刀。TESTINO回忆说，当年濒临破产边缘的GUCCI在他们眼里真是一无所有，是FORD感动了他们。

从此，这个天王级摄影／造型组合成了FORD的好拍挡，对日后GUCCI新形象的广而告之很助了一臂之力。

米兰的1995年3月，是20世纪下半叶时装史上被史家大书特书的日子。正在进行中的米兰95年秋冬时装展上，爆出了GUCCI咸鱼翻生的大冷门：当一位名模穿着一条深蓝色天鹅绒紧身直筒裤、配上身的一件苹果绿缎质衬衣、外加一件苹果绿色mohair短大衣，出现在T型台上时，现场的摄影师、时尚传媒人、时装买手个个目瞪口呆，继而欣喜若狂——他们见证了GUCCI的凤凰涅槃、看见了好来坞新一代明星的时装指南——性感、现代、桀骜不驯。一个字：Cool！

时装展后，TESTINO和ROITFELD两位推出他们炮制的GUCCI广告，共耗资2800万美元。马上，GUCCI的新形象受到全世界时尚人民的热烈喝彩和欢迎。从这一季开始，潮流一族找到了新的引路人——FORD。

麦当娜以GUCCI"咸鱼翻生"代表作的深蓝色版本，登上MTV领奖台。

很快，麦当娜打电话到GUCCI，要了深蓝色衬衣版本的这套GUCCI咸鱼翻生代表作，并穿上它登上MTV音乐颁奖礼的奖台。此后，每次GUCCI时装展的前排，都坐满了好来坞的明星和欧美流行音乐巨星，如歌星MARIAH CAREY、雅诗兰黛的专用模特儿HURLEY等。其中以麦当娜买GUCCI出手最豪，每场时装展后，娜姐都下订单，GUCCI方面直接送货上门。

重生的GUCCI大受欢迎，FORD成了时装界新鲜出炉的当红炸子鸡。他去找已坐上CEO（首席执行官）宝座的DE SOLE，要求公司按新行情付酬。如此火箭式上升的销售形势，DE SOLE自然不会视而不见。FORD的身价有多高？除了在洛杉机、伦敦、巴黎和德州老家的豪宅外，时尚江湖传闻几年下来FORD的身家已累积至以亿计算。

GUCCI1997秋冬季的狐狸毛皮大衣，如同设计师TOM FORD本人一样，在好莱坞成为当红炸子鸡，贬者非常。
选自《时尚芭莎》10297

有靓无类

以《阿甘正传》名扬天下的两届奥斯卡影帝TOM HANKS，和他的太太RITA WILSON一样，都是GUCCI的超级拥趸。1998年TOM FORD首次把GUCCI时装展搬到美国洛杉机展出，为慈善事业筹款。好来坞大小明星倾巢而出，捧FORD的场，众媒体记者怎会错过这种星光熠熠的场合？当被电视记者问及所穿是何牌子时，HANKS夫妇拿腔拿调地高声回答："GUCCI！"十足一对顽皮少年。

1998年奥斯卡影后Helen Hunt作为1999年奥斯卡的颁奖人，以一袭水晶石镶边的GUCCI上衣配同色长裙，斯文亮丽、充满现代气息。

1998年，HELEN HUNT获奥斯卡最佳女主角奖，她就是穿着一袭天蓝色GUCCI露肩晚装上台领奖，一派斯文优雅。1999年的奥斯卡颁奖典礼上，HUNT"改行"当颁奖人，这次她穿GUCCI的水晶石(rhinestone)镶边银色晚装，青春耀眼，星光四射。这一套晚装，是GUCCI99年春夏系列中的杰作，更为奥斯卡晚装宝库加入了全新的现代气息。

同一款的水晶石镶边上衣，配牛仔裤，营造的却是青春狂野的形象。GUCCI，想说爱你真容易！选自GUCCI1999春夏季广告。

虽然FORD是以好来坞新人类作为GUCCI的主打市场，但他的设计却把纽约老一辈的慈善捐款天后和好来坞青春女星一网打尽。例如一套枣红色的天鹅绒西服套装，纽约的社交界名媛爱穿，1999年的奥斯卡最佳女主角PALTROW也穿，虽身份年龄不同，但却一样光彩照人。高手就高在这里。

有一位60多岁的纽约女富豪，几十年来都是巴黎各大高级时装牌子的大客，每次时装展，她都坐在前排最显著的位置上。她说，她从小就爱用GUCCI的皮件皮具皮鞋手袋。FORD主政GUCCI后，她发现很多款式青春前卫的衣物，竟然穿起来也非常舒服，尤其

GUCCI"硬件"有多红？请看这三位好来坞新老明星的快乐"撞衫"状，就可知GUCCI作为好来坞明星"制服"的地位。

是GUCCI的长裤，更是剪裁一流。于是，她也和年轻人一样成了GUCCI的常客。

至于占GUCCI销售额39%的亚洲，GUCCI也好评如潮：这个牌子越来越有型，越来越年轻。那套GUCCI咸鱼翻生代表作，在香港成了豪门年轻一代争相购买的GUCCI新经典。

FORD说，他常想：什么是经典？20后的人回望今天，BRAD PITT（好来坞偶像级帅哥）在1995年穿的GUCCI，就是经典。不过，FORD忘记了GUCCI最好的男模特儿——FORD自己。但他的拥趸和时装界同行没有忘记。这么帅气英俊有型的时装设计师，暂时还是前不见古人，后未见来者。

1996年秋冬季，TOM FORD为GUCCI炮制了这种"硬件"。
选自GUCCI1996秋冬季广告。

GUCCI决不重女轻男——请看GUCCI的帅哥帅姐群像。选自GUCCI1996秋冬季广告。

从欧美到亚洲，从老年中年到青年，从男士到女士，如此“有靓无类”，GUCCI想不红，难矣！

怀旧的未来主义（retro-futurism）

女为悦自己容。
GUCCI1999年秋冬季系列，是我最喜欢的一季。我把这一季叫做豪华版波希米亚风情。

FORD不可避免地成了各个主流时装颁奖礼的常客，领奖领得手软，答谢答到口干。评论界给他的定位是：怀旧的未来主义。麦当娜在评论GUCCI时，忽然变得和主流文化亲近起来：FORD是一个借鉴过去的天才，更是一个创新的未来派。

1999秋冬季的羊皮上衣和褶皱裙——豪华版“波希米亚”风情。

怀旧，是概念：性感，好来坞，60年代的反叛，摇滚，标新立异。未来主义，是GUCCI的骨子里透着那种自立自主的当代女性的自信。从前的性感，是“女为悦己者容”；今天的GUCCI，充满建筑感而曲线玲珑的衣装，一双smoky eyes，一对斗零高跟皮靴，充满了“危险”的诱惑，有点儿神秘，却无须讨好任何人，绝对是“女为悦自己容”。

GUCCI的同胞、意大利作曲家普契尼有一出脍炙人口的歌剧《波希米亚人》(Laboheme)，又译《艺术家的生涯》。里面是一群居住在巴黎拉丁区的19世纪的艺术家：诗人、画家、音乐家、哲学家和绣花女。他们贫困潦倒，但却热情浪漫、豪放不羁、热爱生活。这是典型的波希米亚性格。

到了20世纪的最后一个秋冬季，GUCCI的型女型男来了。她/他们同样地浪漫奔放、我行

女人味十足的GUCCI现代扬眉女子。
选自1999秋冬季广告。

GUCCI皮衣裤的型和格。
选自《时尚》08/99。

1999年秋冬季的GUCCI型男型女——打扮得如同王公贵族般高贵的当代“波希米亚人”。
选自GUCCI1999秋冬季广告。

我素、艺术气息浓得化不开，却脱了贫——GUCCI的精美皮衣皮裤皮裙和皮鞋皮靴，把当代“波希米亚人”打扮得有如王公贵族般高贵。

不过，无论多么风情万种，GUCCI蚀骨的性感和现代味都挥之不去。一件黑色紧身高领皮衣，把全身包裹得密密实实，却依然性感无比。一条浅杏红色的露肩皮裙，胸前一朵玫瑰花，女人味十足，整体气质却依然是GUCCI的现代扬眉女子。

如此艺术家气质和财富的浪漫结合，谁不向往？

纵横意法

FORD创造的GUCCI神话，不仅挽救了危亡中的一个经典名牌，更为20世纪的时尚界开创

欧洲老了，而美国正年轻，年轻得就像这套GUCCI秋装。选自1999秋冬广告。

了新思路：欧洲老了，而美国正年轻。欧洲的老牌经典要随着时代前进，必须敞开胸怀拥抱新人类新概念。FORD这位逢山开路遇水搭桥的先锋，为后来的一批美国年轻设计师过江龙入主欧洲时装老牌，杀出了一条康庄大道。

七、八年后在这条康庄大道上踏着FORD的足迹前进的美国时装设计师中，就有FORD初出道时在纽约的上级JACOBS。J上级如今进驻的是法国皮具名牌LOUIS VUITTON。这一回是"后人种树，前人乘凉"。

1999年，GUCCI收购了法国时装传奇大哥大圣罗兰(Yves Saint Laurent)。38岁的"救亡大师"FORD出任创意总监，成为从YSL成衣系列，到圣罗兰香水系列的"抓fit人"。

消息传出，近年心满意足神采飞扬的GUCCI迷们不禁担心：FORD会辞去GUCCI创意总监一职吗？正是诚心自有天知，FORD最近亲自向时尚传媒宣布：他将继续留任GUCCI旧职，同时兼顾YSL新职。GUCCI拥趸和股东们大可以安心了。

以FORD的时尚圈公认的设计和市场营销及公关天才，老牌YSL在新世纪时尚跑道上的重新起飞，指日可待。

就像发了一笔意外财，GUCCI拥趸们正万众期待：FORD在YSL带给我们更多的惊喜和享受，让我们有更多机会看他的新作，看他谢幕，看他领奖，看他再铸辉煌！

LOUIS VUITTON

旅行的艺术

旅行在现代社会，再普通不过了。从贩夫走卒到白领雅皮，从富豪淑女到王公贵族，无一例外都会时不时云游四方，实在是名目繁多，丰俭由人。LOUIS VUITTON（路易·威登，缩写LV）这个牌子，记录的就是“丰”的那一种旅行。

一切从拿破仑皇后开始

1837年的法国，国王路易·菲力普提出了他的座右铭：“发财致富。”这是何等深入民心的口号——直至100多年后的今天也不过时。不知是否巧合，这一年，15岁的LOUIS VUITTON带着他从父亲那里学来的木工手艺，离开他的小山村家乡，来到了纸醉金迷灯红酒绿的不夜城巴黎。这次旅程是这位现代豪华旅行设备之父的首次旅行。这第一次却是非常的不豪华，说艰苦备尝都不为过——他是一路徒步走到巴黎的！如果我是VUITTON的后人，想到祖先是如此的艰辛，一定泪盈满眶；但想到祖先“路是人走出来的”的坚韧和豪情，一定万分骄傲。VUITTON事业的起点，应了我们先人的名言：天将降大任于斯人，先必苦其心志，劳其筋骨。

Louis Vuitton，现代豪华旅行设备之父。

一路风尘、一路跋涉之后，VUITTON一步踏入的，不仅是繁华大都会巴黎，更是一个新时代——一个工业革命的波澜壮阔的时代。工业革命的标志——蒸汽机的发明，催生了火车和轮船。巴黎的上流社会当时最时髦最盛行的活动，就是乘火车和轮船旅行。这样的旅行从三个月到三年不等，目的地从外省的城堡别墅到非洲殖民地都有。于是产生了一种新的需求——设计巧妙轻盈而又坚固耐用的旅行箱包，以保证绅士淑女、名媛贵妇们的用品完好无损，且取用方便。

在第二帝国的前夜，光是用于支付为衣服打包的费用，就高达成千上万元，这还不包括箱包的造价呢。不过，想想那个繁文缛节、极度奢华的时代，女士们动辄拖地长裙宫娥装，男士们燕尾服绅士帽打猎装，真是牵一发而动全身。要让华丽昂贵的衣服在旅途上随时处于出得厅堂的状态，打包工真是匠心少一点儿都不行。

VUITTON在巴黎的一间著名的度身订造行李打包公司找到了工作，不久即成为行内声誉鹊起的专业人士。拿破仑三世在1851年登基后不久，他的皇后EUGENIE就慕名延请LOUIS VUITTON为她的私人打包工。巴黎的豪门望族都跟着皇后一窝蜂地把VUITTON认作打包工的首选。

王室贵族们的抬举，使VUITTON认识到自己制造行李箱包的高超智慧和才华。于是，他在1854年创立了自己的旅行用品公司，从此，LOUIS VUITTON（LV）成了豪华旅行设备的等义词。

箱箱富贵，袋袋平安

LV的顾客，不是精于享受人生，就是充满探险精神。这从她／他们的订制品就可窥见一斑。

属于豪华唯美那一类的，除了衣柜手袋这些我们想象得到的，必备的出门行头还包括化妆箱、鞋箱或鞋柜、帽子盒。例如歌唱家Marthe Chenal就向LV订购鳄鱼皮化妆箱，里面摆放她的玳瑁柄粉刷和梳子、黄金瓶盖的水晶化妆品瓶子等。内在美如此昂贵，作为外在

LV1936年为交响乐指挥家Stokowski度身定造的迷你旅行"书房"。

美的箱子自然不能廉价。这个阶层理所当然成为LV的忠实顾客。

男女有别。有一位热气球旅行家，非常热爱干邑白兰地。LV应他的请求特制箱子，用来储藏他的干邑珍藏。有些酒瓶是如此罕见漂亮，他更进一步请求将这些珍藏中的珍藏存放在LV的保险库里。什么时候他想喝他心爱的酒了，就亲自到LV店一尝甘露。想不到吧，皮具名店LV还兼做客人的酒窖。当然，要得到这样的礼遇，阁下必须首先成为LV的VIP大客。

LV的宠物旅行箱。

至于去非洲的探险家们，从LV订购的东西几乎是对常人想象力的挑战。例如，每一条边都是圆线条的箱子，好让他们骑驴顺利穿过灌木丛；1875年，探险家DE BRAZZA要去刚果河盆地，他从LV订制的是一个白天为箱、晚上作床的特制品。20世纪的探险家们，探险的范围从地面和水上扩张到了瓦蓝瓦蓝的天空。上述那位热气球探险家，就向LV订购一个非同一般的旅行衣箱——打开后可以用作救生筏子的。海洋的天气变幻无常，但LV的别出心裁鼎力相助，让探险家们在海洋的上空任凭风浪起，稳坐热气球。

20世纪的20年代，是一个奢华风劲吹的年代。那时，50件一套的LV鳄鱼皮旅行箱袋在王族和富人阶层风行一时，在箱包上镶纯金的比比皆是。有一位阿拉伯君王，向LV订购了一辆汽车，连同为这辆车度位定做的专用旅行箱包、茶具、信封文具和生活配饰。想想LV出品的价钱，这辆不一样的“车”已经够奢华了。但更令人不可想象的是 这么巨大的投资，竟然在完工后没有真正使用过，只供玩赏。

不知是否受到这位阿拉伯君王的启发，今天我们不仅可以在LV专门店买到手袋和公文包等LV的主打产品，还可以买到记事簿、旅行日记本、钢笔和伦敦、巴黎、日内瓦等欧洲名城的旅游指南，以及与这些指南尺寸吻合的挂包。其中一款DAMIER挂包，背面是透明的一格，重点游览区的地图，无须抽出就可一览无遗。这等方便和周到，现代旅人真是集万千宠爱于一身。

集万千宠爱于一身的，不仅有人类，还有被人宠爱的动物。LV为爱宠物人士准备了宠物旅行箱，让主人可以携宝贝宠物出游。箱上有窗子，供宠物呼吸和观光。宠物要休息了，窗帘就放下来。帘卷西风，不让人专美。

老爷车

LV以旅行的艺术为号召，老爷车自然是题中应有之义。20世纪人类最重要的交通工具是汽车，发达国家的人民以汽车代步，发展中国家的人民以汽车为奋斗目标，这些都属于日常必需品之列。但老爷车作为奢侈品，就和名牌LV门当户对了。

LV一叶知秋——这辆1967年的MERCURY Cougar，被奥斯卡名片《The Lion King》（狮子王）的美术制作公司，以人手画上LV的经典主题四花图案，参加每年秋天在纽约举行的LV老爷车展，成为纽约的秋天标志之一。

拥有老爷车不是件容易的事，首先要买得起（闲闲地相当于一间中价房子）；其次要负担得起日常的维护保养费用（包括停放老爷车的地方、年代久远的罕有零配件的超常高价，名车的巨额保险费等）；再次要有那份心情——就像热爱古董的收藏者一样。在北美洲，每逢风和日丽天气温和的日子，马路上就会见到车身锃亮装饰精美的老爷车在兜风，车主们要在这良辰美景中让老爷车活动活动“筋骨”，同时自己也享受古董座驾的乐趣。

令老爷车车主们最兴奋的，莫过于老爷车大赛。1998年4月，为预祝筹备3年的路易·威登老爷车中国之旅（大连－北京）大赛的成功，LV在香港浅水湾酒店餐厅的露天花园举办了一个午餐会。虽然参赛的老爷车共50辆，来自世界各地，但这次午餐会上展出的6辆老爷车，车主则全部来自香港。其中一辆车龄已60年的奔驰敞篷跑车，买价港币30万，另外为车装身的价钱与车价相若——又一个30万；有一辆白色的BENTLEY，购自加拿大温哥华，

老爷车车主的乐趣之一：车顶上"嬉戏"LV的EPI系列皮袋，选自LV1995年春夏季广告。

现估值超过百万港币；还有一辆鲜红色的林宝坚尼跑车，购自英国，全球只有7辆，已升值至200万港币；讲名贵跑车又怎可少得了法拉利，这次展出的就有一辆黑色法拉利MONDIAL QV 3000cc跑车，80年代面世，算是这批"老爷"中的"小伙子"。真应了时装的潮流：黑色是青年人的颜色。

卖花当然要赞花香。LV赞自家花香的技巧让人受落得真舒服：花园里搭起一座白色帐篷，帐篷内筵开5席，三人乐队现场奉上音乐，老爷车旁摆放LV全套的DAMIER系列皮箱、手袋、挂包，甚至还有一个放酒杯和刀叉的皮箱。到场的嘉宾和老爷车主们，不少人都携带自己的DAMIER手袋（女士）或DAMIER旅行袋（男士），实在和"乘老爷车出游"的主题衬到绝。

1998年LV老爷车拉力赛中国段（大连——北京）的一个场面。

DAMIER 系列的深浅咖啡色格子图案，诞生于1888年。1996年，为庆祝LV主题经典图案MONO-GRAM面世100周年，LV重新以格子图案推出DAMIER系列箱包。虽然退隐多年才重出时尚江湖，但DAMIER的几何主调和清醒的优雅以及很有节制的美感，却十分现代、十分简约，无论动感（地图挂包、摩托车头盔等）或文静（女士手袋），都漂亮得干净利索。

这样的老爷车加DAMIER系列的午餐会，实在是一件赏心乐事。花园、帐篷、佳肴、名车、挽DAMIER手袋的美人，在悠扬乐曲的衬托下，LV展示的，其实是一种生活的格调。这一幅香车美人图里面，却没有普通车展常见的模特儿美女或年轻俊男。到场人士全是人到中年、事业有成、仪态万方的淑女和温文尔雅的绅士。他们虽然不再青春似火，却有着LV所代表的品味。而且，他们都是伴随着LV成长的呢，那可能是少年时代的文具盒、钱包、钥匙包，可能是青年时代的挂包和背包。能够从小伴着LV成长的人生，是何等幸运的人生。

108岁的青春——经历了100多年的岁月沧桑，LV的DAMIER图案依然充满了现代感，依然青春漂亮。
图为LV1996秋冬季广告。

名车世界之最

除了重出DAMIER系列之外，LV招牌经典图案MONOGRAM的世纪纪念活动，还包括了在纽约洛克菲勒中心举办的首届美国国际老爷车大赛。洛克菲勒中心是纽约市的标志建筑物之一，也是游客汇聚的热门旅游点。它的优雅精致的建筑工艺和宏大的气派，实在是LV举办的世界顶级老爷车车展的理想地点。

1996年的第一届老爷车展，共有60辆世界上最罕见和最昂贵的名车参加，包括BUGATTI、法拉利（FERRARI），战前出厂的DUESENBERGS、PACKARDS和MASERATIS等让爱车人士一听就心跳的尊贵牌子。

在纽约市洛克菲勒中心举办的老爷车展览，是全球老爷车爱好者心目中的“老爷车的奥斯卡奖”。
美国贵族派时装大师Ralph Lauren的1937年BUGATTI 57 SC Atlantique Coupe，赢得1999年LV老爷车展览全场总冠军。
选自LV2000年纽约老爷车展场刊。

到了1998年的第三届LV老爷车展，同样是在美国财富的象征之一的洛克菲勒中心举行。这一届车展，分成几个组别。例如，竞赛组里包括一辆乳白色的积架跑车，车身上有蓝色的波纹，整一个老爷车里的“水手装”！你几时见过王公贵族身份象征的积架车，有如此青春无敌清新爽朗的车款？

美国名车Cadillac最有“老爷车”的贵气风度，不愧是“老爷车”的代表，难怪被用作LV的1995年秋冬广告。车顶上是LV不同尺寸的Epi系列帽子盒。

1929年出厂的Stutz Convertible Victoria敞篷跑车，最初是为瑞典国王古斯塔夫（Gustave）特制。后来，美国铝业大王安德鲁·梅隆成了它的车主。原因？这辆车不是用木而是以铝作结构的。

还有一辆红色的335s法拉利，是只为男士设计的车型 不过，最令人印象深刻的，要算一辆宝蓝色的SCARAB，因为它是世界上硕果仅存的惟一一辆，可谓价值连城。

有一组叫做最古老最有趣的名车。其中一辆是这次老爷车展中最高龄的车——一辆1907年诞生的劳斯莱斯，是为一位苏格兰爵士度身订造的，内里的座位宽敞如小客厅。另一辆车的特色是车身用木制造，是一辆由法国人制造的西班牙车，非常的田园风味。

LV在伦敦的Hurlingham俱乐部举办的老爷车展。
选自LV2000年纽约老爷车展场刊。

该轮到跑车代表PORSCHE出场了。有一辆白色的PORSCHE车，是限量版的PORSCHE50周年纪念车，在PORSCHE车迷心中有着崇高的地位。另外一辆黑色的PORSCHE，也是车迷心中的经典，那是50年代PORSCHE车迷的最爱，以速度吸引了无数跑车发烧友。

LV在巴黎举办的老爷车展。
选自LV2000年纽约老爷车展场刊。

最后一组叫做最美丽的名车。这里最能抓住参观者眼睛的是一辆银色的靓车。它是意大利名导演Rosellini送给妻子、名演员英格丽·褒曼的结婚礼物。褒曼在我心中是端庄美丽的等义词。她的典雅风度，使我一直对她的祖国瑞典充满了好感——那一定是个玉洁冰清美女如云的国度。褒曼1945年因主演根据海明威原著改编的电影《煤气灯下》而获奥斯卡最佳女演员奖。但我心目中最完美的褒曼，是在另一部好来坞名片《卡萨布兰卡》（又译《北非谍影》）中。不知为什么，一看见这辆褒曼的私人座驾，我就想起《卡萨布兰卡》的结尾，想起那个汽车疾驰、飞机腾空的场面：雾霭笼罩的机场，泪眼朦胧的褒曼，在生离死别、相见时难别亦难的时刻，依然含蓄、依然典雅、依然美丽动人。呵，永远的褒曼！

七星捧月

被如此隆重地、大张旗鼓地纪念的那个主角——MONOGRAM，到底是什么呢？

MONOGRAM由创始人LOUIS VUITTON的名字缩写LV和一朵四叶花、一颗独立四角星加上一颗菱形四角星组成，统称LOUIS VUITTON的标志（LOGO）。1896年，创始人的儿子GEORGE VUITTON确定用它们组合成LV的标志，曾成功地阻止了仿冒赝品的产生。深浅咖啡色相间的LV的标志图案印在帆布（CANVAS）上，称为MONOGRAM CANVAS，制成轻盈、柔软而又坚固、耐用的箱箱袋袋包包，防水防划伤不怕摸爬滚打，成为富裕阶层的日常用品和旅行必需。在美国的机场，最常见最抢眼的旅行袋、行李箱就是这些LV的出品。

用串珠绣出的LV四花图案Logo。
选自LV2000春夏季目录。

带着一个世纪的辉煌成功，MONOGRAM CANVAS走到了它的100周年纪念日。一般名牌也就是出一些限量版的设计作为纪念，但是LV岂止限量版这么简单？除了重新推出DAMIER系列、首办老爷车展之外，LV还延请美国、英国、法国、意大利、奥地利、西班牙6个国家的

7位时装和配饰设计师，以MONOGRAM CANVAS为素材，设计他们各自心目中的LV世纪纪念版。这可真是不同凡响的无敌创意和大手笔！因为，这7位设计师中，不乏鼎立一方的潮流开创者，和LV如此激动人心地碰撞一番，必定擦出灿烂火花。这怎不叫全世界时尚人民热切期待？

“PUNK姐大”Vivienne Westwood炮制的MONOGRAM CANVAS世纪纪念挂包，不仅体现女性身体曲线美，更离不开她的好玩精神，这也是“七星”中最耀眼的一颗。

本来，LV的MONOGRAM CANVAS图案不是我的那杯茶。但是，这7位设计师里面，有一位我非常心仪的PUNK（朋克）文化大姐大VIVIENNE WESTWOOD。“PUNK姐大”的设计是高级时装界无人不知无人不晓的不老的传说，有英伦时装西太后之称。她那独立寒秋我行我素的风格，俘获了世界上不知多少青春的身体和青春的心，在时装界内也服膺者众。如此大师级人马出阵，引得“PUNK姐大”的拥趸们热血沸腾。“PUNK姐大”不负众望，奉上一个充满了女性臀部曲线美的LV挂包，让人想起她一贯的立体剪裁和性感路线，不禁会心一笑。

这7位设计师里，还有一位制鞋大师MANOLO BLAHNIK。他出生于加纳利群岛，留学日内瓦和巴黎，以伦敦为事业基地，是世界上数一数二的鞋类设计师。他为LV的世纪纪念设计了一个鞋盒，外面当然是MONOGRAM CANVAS，但里面的衬里却是印花绸缎，叫人不联想起他的那些晚装鞋也难。这个既实用又机智的LV鞋盒，赢得一片喝彩声。

美国时装设计师ISAAC MIZRAHI的设计是一个四方型全透明的LV手挽袋，里面可以看见一个迷你木偶杂技魔术团在“表演”，当然啦，那些迷你魔术箱子全是MONOGRAM CANVAS图案。MIZRAHI也是我喜欢的设计师，他的时装设计不仅简洁优雅，而且好玩快乐，人见人爱，是美国的轻装文化培养出来的欢天喜地派掌门人。

参与这一世纪盛事的还有意大利的文艺复兴派设计师ROMEO GIGLI、奥地利前卫简约设计师HELMUT LANG、西班牙设计师SYBILLA和法国设计师AZZEDINE ALAIA。GIGLI的橄榄型LV袋和他的修长浪漫的时装线条非常吻合；LANG为LV设计了造型简洁无比的文件箱，一显简约本色；SYBILLA的作品是连着一把雨伞的LV背袋，实用而又充满旅行的乐趣；以动物斑纹图案设计时装著称的ALAIA，就用斑纹毛皮包裹着他设计的MONOGRAM CANVAS手袋，展示手袋的模特儿甚至牵着一头长颈鹿出场，其斑纹和手袋上的斑纹遥相呼应。

1996年的纽约，时尚界的重大庆典之一，就是LV的“MONOGRAM世纪展览”（Centennial Monogram）。7位设计师的大作，在这个展览上隆重面世，7位设计师更亲自到场以壮声威。由此可见美国作为LV的全球最大市场的分量和纽约这个时尚和财富之都的江湖地位。

青春是这样焕发的

到了1998年，纽约的江湖地位就不仅体现在时尚和财富上了，还体现在时装设计上——皮具老牌LV要出高级成衣系列，礼聘美国时装设计师MARC JACOBS加盟，坐镇这间百年老字号任设计总监。对全世界的LV拥趸来说，这不啻平地一声春雷。

首先登场的是MONOGRAM VERNIS箱包袋系列。图案还是那个LV招牌经典MONOGRAM图案，但颜色就来了个急转弯——从成熟稳重的咖啡色摇身一变成为米色和清澈的天蓝色；用料上，也从沉实的帆布改为亮丽的漆皮；造型上，最令人叫绝的是一款正方形箱式晚装手袋，青春而又贵气、简单又不失华丽；品种上，除了原有的旅行袋和斯文型挂包以及圆筒型手袋之外，还有一款手腕小钱包，小巧可爱的造型、似无还有的功能、精致的手工，戴在手腕上既可作钱包，又可作腕饰。太棒了，青春就是这样焕发的！从今往后，我不会再说MONOGRAM不是我的那杯茶了。MONOGRAM图案的VERNIS系列，不仅是我的那杯茶，更是我的凉白开水、我的果汁、我的可乐、我的牛奶、我的老火汤！

LV的MONOGRAM VERNIS漆皮系列，我的那杯茶！
上：天蓝色手腕小钱包兼腕饰；
中：米色箱式晚装手袋；
下：日间、晚间两相宜的小手袋。
选自LV1998春夏季漆皮系列。

粉红、鲜黄，LV五彩缤纷。

那段时间，收到时装杂志的第一件事就是翻看有否LV这个青春系列的新出品。啊，有有有。接下来的每一季，MONOGRAM VERNIS系列，不仅造型越出越新奇——圆的、方的、椭圆的、梯形的、三角形的、无可名状的，而且颜色也万紫千红总是春——鲜黄、嫩绿、鲜红、粉红、银灰及至2000年秋冬季的黑色，更有五彩缤纷的。轮到第二件事了，那就是立即和品味相投的朋友互通情报，务求高瞻远瞩全面检阅，把有限的钱投入到无限的享受中去——关键是买自己最喜欢的那一款。不过也不得不面对现实：当款款都喜欢时，时尚一族的钱包就更难把关了。对36岁的美国设计师JACOBS，我们真是爱“恨”交织！

轻松豪华，大红大紫

美式简约一声炮响，给我们送来了新青春主义。看JACOBS主政下的LV时装系列，就有这种炮轰的感觉。用料优质，线条简练，不传统、不对称、不规则的造型，却又在细节上处处流露韵致，多么难得充满活力的美式简约风格和经典的法式老牌产生如此积极正面的化学反应。年轻一代的潮流新人类自然对新生的LV时装热烈拥抱，但传统保守的那一拨名牌客也给LV贴上Casual Luxury（轻松地豪华）的标签，时尚传媒更把纽约小子MARC JACOBS推上Casual Luxury掌门人的宝座。

JACOBS为LV设计的时装，最适合那些自身条件好的人：样靓、身材好、气质佳、气息健康。穿JACOBS设计的衣裙，百分百的“人穿衣”，绝无“衣穿人”之虞。款式低调而又质

美式简约一声炮响，给我们送来了新青春主义。

轻松豪华。

料高贵的衣服，最能突出人自身的优点，对LV迷来说，第二层意义是突出那些令你活力倍添的LV袋袋包包。1999年的秋冬季系列，就是这样的典范。用料以纯羊毛为主，款式从裙装到毛毯式大衣不拘一格，皮靴帅气手套精美，披肩末尾附有袋子，天鹅绒露脐装配衬波浪型裤头的高腰裤，看上去温暖贵格，青春妩媚。点睛的一笔是那些超大型的挂包和背包，还有可以和背包卷在一起的毛毯——让人想到郊外住帐篷的潇洒。手袋和挂包大红大紫的颜色，晶亮柔软的漆皮，经典的MONOGRAM图案，既给沉闷的秋冬季带来了亮色，又保留了美式运动风格的洒脱和皮具名牌的贵气。这一年，JACOBS获得美国时装设计师协会（CFDA）颁发的最佳配饰奖（箱包、手袋、鞋靴和皮带等衣服以外的东西统归配饰名下），绝对是实至名归，既叫好，又叫座。

点睛一笔，大红大紫。

大红大紫，始于足下。

乘风破浪

自邀得JACOBS当设计总舵手后，LV花样百出。1999年夏天，LV发布“只出一季”的限量版航海系列。千万别以为这是小花样一桩，来头可不小呢。原来，这个灰色主调、防水设计、配以红色、白色和苹果绿色的扬帆出海系列，为的是庆祝2000年的首桩体育运动盛事——美洲杯帆船大赛。

上：已故戴安娜王妃；
中：已故美国总统肯尼迪和夫人；
下：西班牙国王卡洛斯；
他们都是美洲杯帆船赛的热烈追随者。

美洲杯（AMERICA′S CUP）已有150年历史，是现代体育运动中历史最悠久的体育奖杯。1851年，英美两国的帆船队进行比赛，以纽约游艇俱乐部为主力的美国队获胜，因此，这项比赛被命名为美洲杯。美国历史上富甲天下的富豪或其家族成员是美洲杯的主要得主。如1898年，美国金融家J.P.MORGAN的帆船赢得美洲杯，1899年MORGAN战胜强有力的挑战对手、英国的LIPTON爵士，卫冕成功。所以说，MORGAN长期担任纽约游艇总会会长，靠的不仅是他在金融界的至高地位，他本人更是航海运动的实力派。又如铁路大王VANDERBILT家族的HAROLD VANDERBILT，曾三次成功卫冕美洲杯，由他个人永久保留的奖杯由美国的珠宝首饰世界顶级名店TIFFANY&CO.制造。19世纪，英国的维多利亚女王和乔治五世深深迷恋美洲杯。进入20世纪，美洲杯更吸引了美国总统肯尼迪家族、西班牙国王卡洛斯、英国的戴安娜王妃等王室贵胄参与。

如此豪华高贵的体育竞技比赛，当然也进入了

美洲杯历史上的英雄之一，美国钢铁大王家族的Harold S.Vanderbilt。

2000年的LV杯帆船赛——美洲杯帆船赛的“入场券”，以新西兰作比赛终点。图为纽约游艇俱乐部的代表队“美国一号”领先于“年轻的澳大利亚”队不到一艘船的长度。

LV的视野，因为这些美洲杯的参与者或热烈的观众，都是LV的顾客。1983年，LV开始赞助美洲杯，方式是设立一个LOUIS VUITTON杯。所有参赛帆船欲夺取美洲杯，首先要赢得LV杯，然后才有资格挑战上届美洲杯的得主。正是在1983年，ALEN BOND的“澳大利亚二号”先夺得LV杯、继而战胜卫冕的美国“自由号”帆船，首次赢得美洲杯。这也是132年来美国在美洲杯赛上第一次落败。1986年，LV推出Epi皮革系列，并特制了一个皮箱，美洲杯就是放在这个箱里，首次离开美国本土，“流动”到澳大利亚。

名牌智力竞赛

LV似乎总和竞赛有缘。举办老爷车大赛和赞助美洲杯帆船赛之外，LV于1998年推出限量版的MONOGRAM CANVAS标志图案足球，以纪念在法国举行的世界杯足球赛。

LV的牛皮系列——男士的亮色。

其实在LV的顾客里，也有一些无奖杯“赛事”。例如在好来坞，就有莎朗·斯东（SHARON STONE）和JERRY LEWIS比赛谁拥有最多的LV出品。LEWIS以拥有超过70件LV而在数量上领先。不过，1996年春天，莎姐携一个长20cm的LV圆筒型网球袋出席“艺术家权利基金会”颁奖典

LV的TAIGA系列，男士的世界。

礼，为LV晚装袋开创出新天地。此后，LV的这只网球袋销量猛升。用我常去的那个LV专柜的经理的话来说，就是"大家除了不把它用作网球袋之外，把它用作什么的都有，最普遍的就是用来作晚装袋。"莎朗·斯东这番新意思，绝对在LV拥趸心目中赢了LEWIS，真是竞赛中以少胜多、以质胜量、以创意胜呆板的光辉典范。莎姐，你真行！

莎朗·斯东的创意：把LV的网球袋用作晚装袋——出席1996年的"艺术家权利基金会"颁奖典礼。

LV的TAIGA系列，男士的世界。

CHRISTIAN DIOR

（上）

梦幻制造者 时装"独裁"者

世人都知道好来坞是梦工场。在这里，山鸡可以变凤凰，小蝌蚪可以变美人鱼，丑小鸭可以变白天鹅。不怕变不到，就怕梦不到。任何现实中的白日梦，都可以变成银幕上的"真实"。在高级时装界，也有这样一个梦工场，名字不叫好来坞，它的大名叫做CHRISTIAN DIOR。50多年来，DIOR为全世界的女性制造了一个又一个美丽豪华的梦幻，鼓励不同种族不同肤色不同文化背景的姐姐妹妹们前赴后继去圆梦——用DIOR妆扮我们的人生。

故乡地灵，母亲人杰

这个全世界亿万女性齐齐加入的美丽人生梦幻的源头，在法国的诺曼底。对了，就是第二次世界大战中盟军登陆反攻德国军队的那个转折点——诺曼底。1905年1月21日，DIOR出生在诺曼底的GRANVILLE。当年，这是一个重要的渔港。可能是受到后来DIOR显赫声名的熏陶，今天，这里已变成著名的海滨浴场度假胜地。各位DIOR迷，不妨把这DIOR故乡加入你的旅行路线，亲临胜地体会大师的水土灵感。

DIOR降生于一个优裕的布尔乔亚家庭，他的伯父是一位公使；他的父亲是一位生意蒸蒸日上的化肥商人；至于他的母亲，终生的"事业"就是把家里的钱花掉，且在花钱方面颇有"建树"。这世上有钱的人多如大海里的浪花，而花钱花得高质量的，恐怕就只有沧海里的那一粟或几粟。钱如何花得有品味、有格调，绝对是一门专业。DIOR气质优雅的母亲，就是花钱界的专业人士，因而在诺曼底的社交界声名响亮。

DIOR的母亲还有一件杰作——她家的花园。她亲手打理的花园，是当地的社交名园。不谙名利场风云的少年DIOR，对家里的花园怀有极大的兴趣，因为描画这些花草，而显露出他在绘画方面的天赋。而绘画，正是成年 DIOR 敲开时装界大门的敲门砖。

大器晚成

到了上大学的年纪，DIOR 自己的意愿是上艺术学院，但遭到家里的强烈反对。DIOR 生长的时代，年轻人还愿意和长辈妥协，所以不难理解 DIOR 为什么终于入读巴黎的政治科学学院——DIOR 的母亲希望儿子成为一名驻外大使。然而，将在外，执行的是自己内心的命令。年轻人有一件很开心的事叫做逃学，DIOR 就这样既安慰了父母、又满足了自己——他一头扎入了巴黎的波希米亚圈子，那里才是他真正的大学。

那时，巴黎的文化生活处于一种百花齐放的战国状态：典雅的俄国芭蕾舞和抽像派艺术展览平行并存，初生牛犊不怕虎的文艺青年和优雅的文化消费者和平共处，青年 DIOR 就置身于这群行为莽撞但后来个个大放异彩的未来天才当中。他研究音乐，学习绘画，游戏前卫概念，如入无人之境，活得有滋有味、有声有色。终于，他的政治科学课全面败北，他的文艺爱好者的正式身份——在校大学生——受到了威胁。DIOR 的父亲试图把儿子拉回准外交官的轨道上，但遭到 DIOR 的消极抵抗。这次，轮到 DIOR 的父母妥协了：他们出资为 DIOR 开了一间画廊。DIOR 终于可以从“地下”“蒲”到地面，名正言顺地“蒲”在艺术的海洋中。DIOR 的画廊罗致的画家都是当时风头正劲的前卫艺术家，如 JEAN COCTEAU、CHRISTIAN BERARD、SALVADOR DALI 等。

但好景不长。一连串的投资失败耗尽了 DIOR 父亲的全部财富，DIOR 衣食无忧地为艺术而艺术的青春岁月结束了。今后，他必须面对忧柴忧米的人生现实，自力更生。

接下来，DIOR 打些和艺术有关的散工，过着居无定所、三餐不继的典型波希米亚人的生活。有一天，一位在高级订制时装公司工作的朋友建议 DIOR 为时装设计师画示意图。DIOR 的超人绘画技巧终于为他带来了稳定的饭碗，更把他带入了巴黎时装界的大门。两年后，差不多所有的时装公司都知道了 DIOR 的示意图是如此了得，几乎可以让人想象出穿在女子身上的效果——那种栩栩如生的动感。DIOR 的第一份作为设计师的工作终于来了，雇主是

PIGUET时装公司。就在这时，第二次世界大战爆发了。DIOR和家人为逃避战祸而离开巴黎。战争结束后，DIOR回到巴黎，发现职位已不复存在。幸好时装名家LELONG聘用了他，当助理设计师。

这时，DIOR已40岁了。他环顾四周，朋友们个个事业有成：年轻时和他一起“蒲”在未来天才堆里的画家BERARD，成了巴黎上流社会的当红炸子鸡；JEAN COCTEAU成了名导演；而LELONG公司里的旧同事PIERRE BALMAIN，则自立门户旗开得胜。DIOR觉得不能再蹉跎岁月了。也正是天助英才，DIOR在最需要创业资金的时候，遇上并吸引了法国报业和纺织大王BROUSSAC。由大王出资，DIOR建立起以自己名字命名的高级时装公司，时为1946年12月。

稍后的1947年2月12日，是一个改变DIOR本人命运和改写世界时装史的日子。这一天，CHRISTIAN DIOR1947年春夏系列隆重发布，拉开了20世纪下半叶高级时装的序幕。这一年，DIOR42岁。大器晚成这个成语，简直是为DIOR度身订造的。

在2000年5月5日的《南方周末》新生活版上，读到一篇题为《三十而“栗”》的专栏文章，我爱不释手，并向众友热烈推介。我尤其喜欢文中的达观：即使活到40岁仍事业无成，也可以安安心心享受生活，坐朋友的私家游艇出海。不过，我想以DIOR为例，向作者连岳献计献策：DIOR到了42岁，才见到成功的曙光。如果做不到三十而立，我们大可以坦坦然地实行“三十而乐”。如果到了40岁环顾四周，发现朋友们都功成名就，而自己却被成功的列车抛弃在碌碌无为的站台上，也无须“栗”——想想DIOR，就会坚信自己的光辉人生，从42岁开始。

战争与和平——NEW LOOK

似乎冥冥中有命运这回事，注定DIOR和第二次世界大战有缘。1947年春天的法国，正是二战结束后的困难时期。没有食物，没有煤，没有汽油，没有时装，最要命的是：没有希望，没有好心情，更没有派对（party）。那些年，法国充满了贫困、饥饿，早已丧失了时装世界之都的地位。就在这样灰暗和沮丧的日子里，DIOR忽然要发布他的首个高级订制时装系列了！

高级订制时装是什么呢？当今世上，也只有大概2000位女士能够负担得起它的昂贵价钱，从而成为它的消费者。高级订制时装从特别织布开始它的富贵历程，到为客人量体裁衣，再到每件衣裙平均100至150小时的手工缝制，再到为客人试衣修改定装，最后以（相当于今天的）数以万元计的美金标价隆重面世。试想当年全世界只有数百位顶级女富豪或王后公主可以成为高级订制时装的客户，她们真是一览（时装）众山小！

收到DIOR时装发布会请柬的，都是这些一览众山小的天之娇女，还有欧美各国（尤其是美国）的著名时尚杂志的编辑和摄影记者们，最后就是美国那些时尚名店的老板和买手们。来客不仅坐满了DIOR位于巴黎MONTAIGNE大街30号的首二两层沙龙的沙发椅子，甚至连宽大的楼梯梯级上也坐满了人。这些分别以扮靓、评论如何才算靓以及销售靓衣服为己任的人，实在和巴黎那些穿着战时女兵服装式样的灰暗衣服的家庭主妇没有什么区别——大家都对时装饿坏了。只是，DIOR的客人衣着光鲜，而巴黎街头的妇女衣衫褴褛。在这些客人中间，最引人注目的是温莎公爵夫人——英国王室不爱江山爱美人真人show里的女主角。她围上皮草披肩，谋杀了摄影记者不少胶卷，也为1947年初春的巴黎留下春寒料峭的历史记录。

试问哪个设计师有如此坚强的神经，用今天的话来说，就是有如此优秀的心理素质，去发布如此华美如梦不食人间烟火的高级订制时装——在法国还实行布料定额配给的经济匮乏期，DIOR的晚装长裙动辄用上数以十米计的豪华布料，如塔夫绸（TAFFETA）、山东绸（SHANTUNG）、缎子（SATIN）、纯羊毛（WOOL）等。美仑美奂的DIOR沙龙内，观众们简直不敢相信自己的眼睛：呵，久违了的华衣美服，你们真的回来了吗？我们不是在做梦吧？

很快，她们就知道这不是梦，而是美丽和愤怒交织的现实：第一批DIOR高级订制时装的穿着者——模特儿和贵妇们，运气不好的那些，走在巴黎街头竟然受到食不果腹的市民妇女们的追打，运气最差的那些竟有被撕扯至半裸体的！不患寡而患不均，大概是物质匮乏时代的普遍人性？

NEW LOOK的代表作、CHRISTIAN DIOR1947年春夏季时装展中著名的BARSUIT（吧套裙）。

但是，历史不会记住这些螳臂挡车的小插曲。甚至连"螳臂"们在愤怒之后也奔向廉价布店，依样画葫芦自制这些极端女性化的衣装。历史记住的，是一个20世纪最响亮的时装名词之一——NEW LOOK（新形象）。

NEW LOOK的命名人是DIOR沙龙里的观众之一，盘踞着美国《时尚芭莎》杂志主编的高位，名字叫做CARMEL SNOW。SNOW看完DIOR极尽奢华的时装首演后，给DIOR写信："Dear Christian,your dresses have such a new look."（亲爱的Christian，你的衣裙创造了如此的新形象）。从此，NEW LOOK成了DIOR风格的代名词，原名"COROLLE系列"反而远远不如NEW LOOK这个纯美式风格的昵称广为传颂。

NEW LOOK新吗？

受到第二帝国的时髦装束的启发，DIOR给时装饥民们献上的，是丰满地展开的大大的拖地伞裙，亮光闪闪的绫罗绸缎晚装——有些光是裙裾就长达20米！通过紧身胸衣衬里、腰封、绢网、裙撑等复古内衣，DIOR制造出妇女们梦寐以求的理想曲线：丰胸、纤腰、翘臀部。

旋转轻扬的DIOR晚装长裙：巨大的、华丽的裙摆和裙裾扫走了战争和贫穷的灰尘，迎来春色满人间。
选自CHRISTIAN DIOR1948年春夏季高级订制时装系列。

比起战时极端男性化的、箱子般呆板的、新三年旧三年缝缝补补又三年的破衣烂衫，DIOR的这些极端女性化的、美丽高贵无比的霓裳羽衣，真的令人眩目，使观者"心"不由己地跟着DIOR一起坠入这场巴黎春梦中。快人一步先饱眼福的时尚传媒，成了NEW LOOK的热情啦啦队，而啦啦队的队长，就是那位美国《时尚芭莎》的主编

SNOW。

一条裙子的力量有多大？请看时尚评论家笔下的NEW LOOK：旋转轻扬的DIOR晚装长裙，巨大的、华丽的裙摆和裙裾扫走了战争和贫穷的灰尘，迎来春色满人间。

虽然时装史家一致公认NEW LOOK和60年代的法国时装惊人地相似，但DIOR却把灵感归功于他的衣着品味高尚的母亲。DIOR回忆说，设计这石破天惊的1947春夏系列的时候，他的脑海里浮现着他的母亲1900年去地中海滨的DEAUVILLE出席赛马会时的那些美丽优雅的衣裳。无论灵感来自1860年的时髦还是1900年的赛马会时尚，DIOR复古的“新”装都象征着对快乐时光的回归。面对心情阴郁罢工遍地的法国人，连法国政府都束手无策。是DIOR的NEW LOOK使法国人重拾美丽的旧梦，使法国重新坐上了高级时装的第一把交椅，使4000万法国人重新昂起了骄傲的头。

时装“独裁”者

NEW LOOK不仅鼓舞了心情沉重的法国人，更征服了大西洋，风靡美洲大陆。生意奇才DIOR深知，如果光靠法国本土的市场，成本高昂的法国高级时装只能摆在博物馆里成为历史，而如今巴黎游人如鲫风光无限的时尚名店，则可能变成某某故址供人瞻仰。有了美国这个世界首富国度的吸纳和拥抱，巴黎的高级时装才有今天的后浪推前浪、行情逐浪高。

DIOR锐意打开美国这个现实的时装市场。天从人愿，DIOR于1947年获得美国时尚名店NEIMAN MARCUS颁发的时装奖，他亲往美国领奖。这个奖当年相当于时装的诺贝尔奖，历届获奖者中包括了CHANEL等时装史上最光辉的名字。这次领奖之行大获成功，把NEW LOOK推上了第二次高潮。DIOR乘胜追击，在1948年11月，开设纽约分店，从此踏上DIOR时尚王国新概念市场化的康庄大道。

DIOR时装是当年社交生活中的大事。名气界红人ROCHAS女士说，人们等待新一季DIOR时装的发布，就像等待一出歌剧的开场那样，屏息静气，充满期待。每一个时装季，DIOR

DIOR1950年的一袭名为“舒曼”的晚装。从裙子到名字，都是欧洲的时装和音乐，但这袭晚装的消费者却在美国。第二次世界大战后的欧洲，如此奢华的晚装没有市场，有的只是羡慕和渴望。
选自《风格》10/99。

都发布不同的裙子长度、一些有别于前的新的线条和造型。例如 Vivante Line（1953 年秋冬），又名 Shock Look（令人震惊的形象），因为 DIOR 把裙子长度缩短到离地面 40 厘米。随后还有 H Line（1954 年）、A Line（1955 年春夏）和 Y Line(1955 年秋冬)。于是，群众跟着大师走，DIOR 的风格主宰了整个时装界。美国人又跳出来了，给他们一手捧红的 DIOR 起了个绰号：时装独裁者。

法国的经济统计数字也提供了一幅接近"独裁"的图画：CHRISTIAN DIOR 当年占了法国时尚产品出口到美国的总额的一半，为法国创造了大量的就业机会。

DIOR vs. CHANEL，美丽 vs. 自由

然而，"独裁"之下也有不同的声音。DIOR 在位设计的十年，无论从商业还是评论的角度看，都是季季成功、年年走红。他几乎独步高级时装界了，一直到 1954 年。这一年，战前巴黎高级时装界的头牌设计师 CHANEL 终于走出二次大战的阴影，在沉寂多年后以 71 岁的高龄重出江湖。雄踞巴黎时装首席几十年的 CHANEL，她的时装哲学是：衣服应该是轻松的、舒适的、没有年龄限制的、不被潮流淘汰的、易于穿着的。这和 DIOR 的唯美哲学简直水火不相容。自由派的 CHANEL 对 NEW LOOK 把妇女拉回身体曲线崇拜的老路大为恼火，她把男设计师们的时装称为"50年代的恐怖"，对他们不惜摧残女子身体以制造荒唐的美丽曲线的做法，痛心疾首。同时，虽然不如 CHANEL 般名气响亮，但民间的女权主义者的抗议声音也从来没有停止过。

但是，DIOR 说："我要让女性重新美丽起来，如花似玉。"是呵，女人是美的像征，DIOR 的想法和做法有什么错呢？英国伦敦皇家学院的 Janey Ironside 为 DIOR 的 NEW LOOK 唱赞歌："这是生命中的一个新的机会，是一份新的爱情、是一场新的风花雪月。"这位 DIOR 的热烈歌功颂德者，是女性。

虽然自由诚可贵、美丽价更高，但对于 CHANEL 所代表的追求自由和舒适的呐喊，DIOR 也作出了诚意的回应，那是 DIOR 的最少雕琢、最少曲线建构的一季系列，他为之命名"铃

CHRISTIAN DIOR 1950年秋冬季的一套套裙，强调女性身体的线条。

CHRISTIAN DIOR 华衣美服包裹下的DIOR专用模特儿们，1957年。

兰”，亦即是法国人热爱的“山谷里的百合花”。在这个系列中可以看到线条宽松舒适的夹克、外套和百褶裙，还有水手领的衬衣，无比的清新。美国人再次跳出来，最权威的《时尚》杂志热烈称赞“没有比这个系列更舒适更易于穿着的了”。

大师们理论上的观点分歧，并不影响广大名牌爱好者、消费者和欣赏者继续追捧自己心仪的风格。DIOR 和 CHANEL 几十年来各有自己的捧场客。在一个宽容的文明的社会，人们享有充分的选择自由，既爱 CHANEL 又爱 DIOR 的机会主义应运而生，不少时尚机会主义者对这两个牌子都忠心耿耿呢。谁叫这两个牌子都这么吸引？

其实，自 1950 年之后，DIOR 的线条开始软化，著名的 NEW LOOK 蜂腰也在 1954 年稍微放松。不管 DIOR 如何变化，他的剪裁功夫确实一流，他所推出的不同线条如 Tulip Line（郁金香线条）、Long Line（长线条）、Arrow Line（箭线条）等，加上名满天下的 A Line、H Line、Y Line 等，确实代表了 DIOR 精湛的剪裁艺术。难怪 DIOR 于 1957 年成为美国《时代》周刊的封面人物，首开高级时装设计师登上《时代》封面的“世界记录”。那个 DIOR 封面非常内行——除 DIOR 头像外，DIOR 右手上举着的一把硕大剪刀甚至比 DIOR 的脸还要抢眼。可见当年《时代》周刊的时尚编辑深明 DIOR 的价值所在，极具专业眼光。

不要为我哭泣，阿根廷

DIOR 在二战后巴黎时装界的隆重出山，确实占尽天时地利人和的优势。那时，巴黎高级时装界另一位早已功成名就的大姐大 CHANEL，还避居瑞士，静观时局。她的时装专门店在战争中关了门，只剩下香水店继续营业。世界上那么多对高级时装饥渴的心，自然对 DIOR 趋之若鹜。这世界包括了南美洲的阿根廷。

对阿根廷的认识，只有两件事：足球和探戈；两首歌：一首名为《不要为我哭泣，阿根廷》，另一首叫做《小小的礼品》（刘淑芳译配并演唱。这首属于我自己的“母亲教我的歌”——20 多年前妈妈给我的音乐“礼品”，常让我想起德沃夏克）；还有两个人：马拉多纳和庇隆夫人。

庇隆夫人是阿根廷的国母，虽出身低微贫寒，但天生丽质，容貌漂亮，在成名前做过酒吧歌手、广告模特儿和电影演员。庇隆将军靠政变上台后，她和庇隆结为夫妇。风光一段日子后，新的军事政变使庇隆成为阶下囚。庇隆夫人想尽一切办法奔走营救丈夫，并发动普通百姓游行示威罢工呼吁政变当局释放庇隆。庇隆终于在强大的民间助力下获释，并促使阿根廷举行全民投票。庇隆的第二次上台执政，身份是戏剧性的民选总统。庇隆夫人坚信丈夫的亲近劳苦大众的施政方针是阿根廷的希望所在。她本人更遍访阿根廷的穷乡僻壤，宣传丈夫的政策。在她的努力下，阿根廷全国城乡终于在20世纪40年代用上了自来水。这是多么了不起的成就。就是这样一位忧国忧民的阿根廷国母，却非常热爱DIOR时装和意大利的FERRAGAMO鞋子。她的从政生涯在40年代访问阿根廷前宗主国西班牙的时候达到了巅峰，她本人更以此登上国际外交舞台。当然，陪伴庇隆夫人出访的，都是CHRISTIAN DIOR的华衣美服和SALVATORE FERRAGAMO的金玉满鞋的出品。当年，庇隆夫人是乘坐她的专机到巴黎的DIOR沙龙量身试衣定装的，她的一衣一鞋，都受到时尚传媒的关注。

庇隆夫人的DIOR形像——NEW LOOK的最忠实追随者。

《EVITA》里的另一首歌曲《You Must Love Me》获奥斯卡最佳歌曲奖。麦当娜在奥斯卡颁奖台上演唱这首歌。

很多年前，还在广州上大学的时候，第一次从黄蓓佳的小说中看到《不要为我哭泣，阿根廷》这首乐曲的名字，后来就按小说的指引听到了钢琴王子克莱德曼的演奏版本，才明白黄蓓佳为什么那么喜爱这首曲子。出国“洋插队”之后，发现书店唱片店里摆满了英国作曲家Andrew Lloyd Webber的CD，最

英国作曲家Webber的作品回顾展上，戴安娜王妃和Webber爵士在一起。戴妃以她的美丽和亲善养我们的眼，Webber用音乐养我们的耳。不约而同地，他们都曾经并将永远打动我们的心灵。
选自《英国王室1992年》。

畅销的就是这首《不要为我哭泣，阿根廷》。这首歌还带红了音乐剧《歌剧幽灵》（歌剧演员女主角在剧中演唱了这首歌），使之长演不衰。几年前，好来坞把庇隆夫人Evita的生平搬上银幕，片名就叫做《EVITA》。在这部音乐电影中，麦当娜扮演Evita。麦当娜在片中演唱的《不要为我哭泣，阿根廷》，如泣如诉，荡气回肠。这是我第一次正眼看麦当娜，正耳听麦当娜的歌，发现她的唱功极佳，原先对她的"坏女孩"形象一扫而光。那年，Webber作曲的另一首《EVITA》里的歌曲《You Must Love Me》获奥斯卡最佳歌曲奖，麦当娜登台再次演绎她在电影中演唱的这首深情优美的插曲。音乐片《EVITA》中也有庇隆夫人到巴黎的 DIOR 沙龙试衣的情景，乐曲和唱词都显得诙谐好玩。整部影片的庇隆夫人服装都按照 DIOR 的 NEW LOOK 风格设计。

真应该感谢英国作曲家 Webber，正是他的百听不厌的名曲《不要为我哭泣，阿根廷》，把青春、大学、黄蓓佳的小说、音乐、通俗钢琴王子克莱德曼和 DIOR 时装及 FARRAGAMO 的鞋子不经意地联系起来，把我们的昨天和今天联系起来。

公主学艺

DIOR 本人是全能型的时装设计师，不仅设计了得，而且生意经营上也是一位天才。在"注册商标"、"标准合同"、"品牌形象"和"风格圣经"这样的概念产生之前，正是 DIOR 发明了特许经营(Licensing)的做法。他的徒弟当中，皮尔·卡丹曾为 DIOR 设计了他的第一个系列中的套装。不过，卡丹学 DIOR 最到家的，是 DIOR 的生意眼光和手法。在赚钱方式多样化方面，卡丹似乎是青出于蓝而胜于蓝。

在 80 年代，还有一位特殊的门徒投到了 DIOR 的门下学艺。这位"学生"是摩纳哥王室的二公主斯提芬妮。这位以桀骜不驯我行我素著称的公主，怎么会投到端庄成熟的 DIOR 门下呢？原来，她的母亲——摩纳哥王妃格蕾丝（Grace Kelly），是 DIOR、CHANEL 和 GIVENCHY 最尊贵的客户之一。在成为摩纳哥王妃之前，Grace Kelly 是好来坞的大明星，1955年以《乡村姑娘》获得奥斯卡最佳女主角奖。她的美丽别具一格，那就是高贵大气，且驻颜有术非常耐看。格蕾丝下嫁尼雷尔亲王之前，摩纳哥是个不太受世人注意的城邦小国（国土只是一个地中海海滨城市蒙地卡罗），以博彩游乐业为经济支柱。格蕾丝王妃的超凡美丽和亲善，吸引了世界各地的大量影迷到摩纳哥旅游，尤其是她的祖国——美国的游客，成了摩纳哥国库的滚滚财源。美国传媒更是 Princess Grace 热至今不衰。法国人从前都瞧不起这个附庸小国，自美国和各国游客蜂拥到"格蕾丝王妃的国度"之后，他们才重新发现新大陆，纷纷南下度假。法国人也非常感激格蕾丝王妃，她的高贵气质和完美容貌为法国的众多名牌带来了更多的美国消费者。有了这样的家庭渊源，斯提芬妮公主到 DIOR 学艺才显得顺理成章。CHRISTIAN DIOR 当然热烈欢迎贵客公主的到来。学艺"结业"后，斯提芬妮继续她的花花公主生涯去了，给时装界留下一段轻松亮丽的行板。

圣罗兰惊鸿一瞥

时装设计是天才加学艺的结果。所以DIOR那个时代时装界的设计名师们都非常小心地保护自己的名声和技术，不轻易传技于旁人。但DIOR在授徒方面也与众不同：他不仅别具伯乐的眼睛——挖掘出像Yves Saint Laurent（圣罗兰）这样的设计天才，更毫无保留地向圣罗兰和另一位助手Marc Bohan慷慨传授时装设计之“DIOR独步单方”。1957年DIOR在意大利度假时，因心脏病发作而不幸去世。圣罗兰立即被任命为CHRISTIAN DIOR的设计总监，于1958年首度发表他的CHRISTIAN DIOR系列Trapeze Line（梯形线条），受到DIOR拥趸的狂热欢迎。看到CHRISTIAN DIOR这个牌子并未因DIOR的辞世而黯淡，法国人和全世界的DIOR拥趸都欣慰万分。圣罗兰以DIOR钦定接班人的姿态登上高级时装坛，日后更成为20世纪60、70和80年代高级时装界的一代天骄之一。只是，圣罗兰在DIOR的两年设计生涯，有如惊鸿一瞥，让时装爱好者们“惊为天才”之后转瞬即逝——原来他应征入伍服兵役去了。

时装的“齐瓦哥医生”

幸好DIOR生前还慧眼识了另一匹千里马Marc Bohan。Bohan在圣罗兰之后接棒任CHRISTIAN DIOR的设计总监，并雄踞这个宝座长达近30年之久。在CHRISTIAN DIOR历史上，Bohan是个继往开来的人物，他像一座彩虹桥，连接起美丽、古典和现代、舒适。Bohan最大的智慧在于：设计时不把新闻轰动效应放在首位，而是真正满足顾客的人望衣妆、扬长避短的需要。在60年代时装潮流少女风劲吹的年头，Bohan主持下的高级订制时装系列，成为DIOR一贯富贵成熟的客人们的避风港、美丽港。例如，他的首个DIOR高级订制时装系列在1961年一登场，就获得当时好来坞红星伊丽莎白·泰勒（玉婆）的12件晚装和裙子的豪气订单。

1967年，Bohan为伊朗FARAH DIBA皇后设计了她的婚纱和登基典礼穿的礼服长裙。更名垂千古的是，他还一手包办了出席FARAH DIBA皇后两大盛典的所有女宾客的礼服设计！这种高级订制时装的"垄断"，似乎暂时还是前无古人。幸好Bohan不在美国，不然可能会如今天的微软一样，反垄断法伺候着呢。

虽然Bohan最脍炙人口的是美丽优雅的晚装，但是，在另一方面，他又特擅长把流行时装的元素编织在高级时装中，却不失流行时装的活力和年轻感，代表作是1961年的简洁短裙和黑白花呢套裙，成了DIOR传统拥趸和年轻一代崇拜者齐齐分享的新意思。这样的双料高手，使CHRISTIAN DIOR这个名牌随着20世纪60年代时装自由化、年轻化、个性化的大潮阔步前进。

1965年，好来坞推出奥斯卡名片《齐瓦哥医生》(Doctor Zhivago)，那是怎样恢宏大气的一部巨片啊——每一个镜头都像一幅油画，而且是宏大深沉的俄罗斯油画。整部影片棕褐和灰黄色的色彩基调，让人很难不想起那幅俄罗斯名画《不相称的婚礼》和列宾的《伏尔加船夫》。影片中出现的广袤旷远的俄罗斯原野，让托尔斯泰、高尔基、莱蒙托夫甚至奥斯特洛夫斯基等大师笔下的坚韧悲壮的俄罗斯顿时活了起来。女主角拉拉的长长的丰满的大伞裙和短靴，男主角齐瓦哥医生的竖领无钮扣白衬衣和长筒皮

Bohan为CHRISTIAN DIOR设计的黑貂皮镶袖口的金镂衣。

靴，以及贵妇们的系皮带的毛皮镶边大衣等等，都成了Bohan的设计灵感，投影在他的1966年秋冬季 DIOR 出品上，成为Bohan 影响最广泛深远的系列。

获多项奥斯卡奖的《齐瓦哥医生》，是一部令人难以忘怀的电影，那首漂亮动人的《拉拉的主题》，是无数音乐发烧友和普通电影观众公认的经典名曲。我第一次听到《拉拉的主题》，并非来自影片，而是来自大学时代迷上的克莱德曼的演奏。虽然那时对《拉拉的主题》的出处一无所知，但这并不妨碍我和我的同学们对她的一听钟情。离开大学十几年后的一天，当我坐在美国的办公室里，和老美同事们聊起《齐瓦哥医生》时，大家都一致赞叹这部电影的优秀和不朽，《拉拉的主题》更被各人迫不及待地提及。但是，我们却突然都卡了壳——一时间大家都想不起《拉拉的主题》是如何开头的。个个绞尽脑汁一副考试中的紧张思索状，但无奈柔美坚韧的俄罗斯佳人“拉拉”就是千呼万唤不出来。大家就那么僵在“考场”上。幸好一位开心果同事挤眉弄眼的自嘲把我们解救出来：“我们都想扮有文化、扮深刻，但今天才发现自己‘同志仍需努力’”。乌拉！经他一言得解放的我们，立即逃离“考场”奔向快乐的浅薄的周末——那是个星期五的下午。星期一早上，当我们万般不情愿地回到办公室时，忽然个个都开了窍，一不小心，《拉拉的主题》又回到了我们的口边。

各位时尚分子，当你今天享受着心仪的毛皮镶边衣裙时，不妨和DIOR的第三任设计师Bohan拉拉关系，更可以和他的灵感来源——好来坞经典巨片《齐瓦哥医生》攀攀亲。

Marc Bohan 于 1989 年从 CHRISTIAN DIOR 功成身退，带着他的成就感和两个 De d'Or 时装大奖。第一个大奖是授予他的 DIOR1983 年春夏高级订制时装系列，第二个大奖授予他的告别作——1988 年秋冬高级订制系列。可见Bohan 不是那种过把瘾就死的流星，而是从 60 年代一直红到 80 年代。

现代派“窈窕淑女”

连续三任法国设计师之后，CHRISTIAN DIOR 的眼光投向了意大利。这一次，DIOR 的“绣球”抛给了意大利人 Gianfranco Ferre。Ferre1969 年毕业于米兰理工学院，获建筑设计学位，之后从事珠宝首饰设计。直到1978年，Ferre才开始自己的时装设计生涯。

CHRISTIAN DIOR五任设计师中，我最喜爱的，就是Ferre。喜欢他的高贵华丽中带着浓浓的现代气息，喜欢他的简洁大气的建筑感。

DIOR的历任设计师中，我最喜爱的，是Ferre。喜欢他的简洁大气的建筑感。图为他的DIOR1994年春夏季高级订制时装的晚装部分。

Ferre的亮相之作——CHRISTIAN DIOR1989年秋冬高级订制时装系列，以黑白条子晚装向1963年的好来坞巨片《窈窕淑女》(My Fair Lady)致敬。《窈窕淑女》由奥黛丽·赫本主演，英国著名摄影大师、时装鬼才Cicil Beaton爵士任摄影师、服装设计和艺术指导。由于Beaton爵士在时装界、摄影界的巨大成就和影响，《窈窕淑女》成了好来坞的华丽指标和审美指南。Ferre的DIOR新装一上场，就和好来坞的华丽遥相呼应。不过，任何形式的华丽，只要经过Ferre的手，就一定变得简洁和充满现代感，繁文缛节荡然无存。这一名为"Ascot-Cecil Beaton"的现代派"窈窕淑女"系列，为Ferre赢得De d'Or时装大奖。

日装：悉尼歌剧院

Ferre在CHRISTIAN DIOR的8年（整一个中国抗日战争的时间跨度），最为世人称道的是他的白衬衣和建筑造型的晚装，还有他的注册商标——抢眼点睛的衣领和袖口设计。

不要以为白衬衣就是呆板平凡的上班和上学服。在Ferre的手上，朴实无华的白衬衣也变得华丽非凡。除了面料沿袭DIOR一向的豪华之外，立体的、竖起的领子和夸张的、张扬的袖口设计，使低调的白衬衣立时明艳丰满起来。每一次看见Ferre为DIOR设计的白衬衣，就想起悉尼歌剧院——那些衣领和袖口，就像那歌剧院建筑上的片片白帆。

Ferre设计的白衬衣，袖口就像悉尼歌剧院建筑上的片片“白帆”。
选自DIOR1993秋冬季高级成衣系列。

曾经见过一位人到中年的法国女士穿着一件粉红色的“悉尼歌剧院”DIOR上衣，当然是出自Ferre之手。淡粉红色的缎子上，简单地印着黑色CHRISTIAN DIOR的字样，宽大的衣袖配展翅欲飞的领子，看上去既文雅又舒适。这位女士也不是凡夫俗女，她是最新的一本CHRISTIAN DIOR传记的作者POCHNA，大作的英译本名字叫做《CHRISTIAN DIOR——The Man Who Made the World Look New》。多么智慧的书名，多么有品味的眼光——选择了这件温暖平和又贵气得体的DIOR日装来签名售书，并在巴黎DIOR沙龙里接受电视采访。

Ferre设计的DIOR白衬衣，常常配马裤和长靴，青春帅气，舒服清爽，是非常漂亮的日装。若配上裙子和Ferre擅长的金色钮扣或首饰，白衬衣立马可登大雅之堂，摇身一变成了鸡尾酒裙或晚餐裙装。

晚装：金字塔

忠实于现代派简洁风格的Ferre，如何和DIOR的豪华和极度女性化取得平衡呢？大师让我们开了眼界 Ferre的豪华在用料上，在细节上，但整体造型上，绝对线条简洁。例如，1994年的秋冬系列中，有一袭晚装，上身是蕾丝刺绣再披上珍珠长链加上多层珍珠制成的领子，奢华高贵到不得了；中间宽阔袖口收紧的袖子，流露出旧式贵族决斗服的英姿，当然，Ferre没忘记给袖子中部开一个大口子，整只袖子立即飘扬起来；如何让这袭晚装脱离繁琐的俗套？有了，下身是简单得不能再简单、低调得不能再低调的黑色长裙。于是晚装的整体形象就集贵族气和现代感于一身了。奇迹就是这样产生的。

Ferre为DIOR营造的贵族气派：蕾丝上衣加珍珠“衣领”，却依然简洁清爽，绝对没有“回到解放前”的繁文缛节和“衣穿人”的感觉。这是我最爱的Ferre作品之一。选自DIOR1994秋冬季高级订制时装系。

还有一袭1996年春夏季的晚宴裙，通体都是通花蕾丝，没有任何装饰或披搭，线条简洁流畅，点睛之笔是竖起的衣领和张开的袖口，真是不著一字尽得风流。建筑师的美学就这样征服了时装世界。

Ferre营造的玫瑰花“金字塔”晚装——现代派也华丽，也优雅！
选自《高级订制时装的艺术》。

建筑科班出身的Ferre善于用衣料来造型，减轻女性身体的造型“重任”，所以舒服和华丽可以兼得。在1992年的DIOR春夏系列中，Ferre展出一袭令观者几乎呼吸困难的豪华晚装，整一座玫瑰花金字塔。只是，这座万紫千红的丝绸金字塔，分为两层，并且线条比埃及的金字塔圆润。现代派也华丽，才有这份叹为观止！

1990年秋冬季的一袭PARTY（派对）裙：细节豪华、总体线条却简洁清爽。凡经Ferre之手，烦琐累赘绝无机会出现。

真的很喜欢这位把现代派的简洁风格和建筑感融入巴黎高级时装界的意大利设计师。然而，天下没有不散的筵席。1996年底Ferre将要离开DIOR的消息确认后，我觉得特别失落。不过，Ferre拥趸们颗颗怀念的心，还不至于沦落到“心归何处”的地步——Ferre自己的牌子，还在米兰。而且，或许由于离开CHRISTIAN DIOR后可以全副心力倾注在自己的牌子上，Gianfranco Ferre这个牌子越做越好，越做越有型，越做越青春。各位Ferre迷在世界各地都可以继续买到Ferre的出品。Ferre大师，咱们后会有期。

NEW LOOK50年

1996年12月，为纪念NEW LOOK诞生50周年，美国纽约大都会博物馆的时装馆举办为期5个月的CHRISTIAN DIOR1947－1957回顾展。每年冬天的时装馆展览开幕式，都是纽约一年当中最重要的社交活动之一（另一为纽约大都会歌剧院的秋季首演式），更是世界高级时装界和慈善捐款界的盛会。

这次NEW LOOK50周年纪念，不仅把时装界、社交界、名气界、传媒界和慈善界的名流、红人、精英一网打尽，还请来了戴安娜王妃。戴妃的出现，一方面因为她是20世纪集美丽、时尚和慈善精神于一身的超级偶像，另一方面是为了支持即将上任的CHRISTIAN DIOR新设计师、英国人John Galliano。戴妃穿了一袭Galliano设计的深宝蓝色长裙出席这一盛会，揭开了Galliano入主DIOR的序幕。

一样的深蓝色，不一样的美丽。
戴安娜王妃和美国《时尚芭莎》主编Tilberis在纽约大都会博物馆DIOR50年回顾展入场式上。

欧美社交文化的一个重点，是"入场式"。华衣美服们养兵千日、用兵一时的那个最关键的"一时"，就在入场式这一当口上。全世界的传媒，镜头都对准了这历史性的入场式，当然也对准了这些华衣美服。这次DIOR回顾展开幕式的入场顺序是：戴安娜王妃和美国《时尚芭莎》主编Liz Tilberis，跟随其后的是CHRISTIAN DIOR的大老板B.Arnault和夫人，接着就是DIOR的三任设计师Bohan、Ferre和Galliano。

Arnault夫人（右）和戴妃在回顾展上合影。Arnault夫人的黑和粉红两色晚装，出自即将退任的Ferre之手。

戴安娜王妃第一位入场，自然容易理解，但为什么《时尚芭莎》杂志主编有此殊荣呢？原来，这是CHRISTIAN DIOR的投桃报李——还记得1947年，正是美国《时尚芭莎》杂志当年的主编SNOW女士，给DIOR的首个时装系列冠以NEW LOOK这一鼎鼎大名吗？DIOR是饮水思源，知恩图报。再者，英国人Tilberis女士担任1990年代的《时尚芭莎》主编之前，曾长期主编英国版《时尚》杂志，当年曾兼任戴安娜王妃的服装顾问。这样的历史渊源造就了这样历史性的入场式。

值得一提的还有CHRISTIAN DIOR大老板的夫人。这位

Arnault夫人是一位职业音乐会钢琴家，法裔加拿大人。这次以主人身份出席DIOR回顾展，身上穿的是一袭Ferre设计的DIOR晚装：黑色上身、粉红色的缎子长裙，线条简洁、造型高贵大气，和她的钢琴家身份和斯文的气质非常吻合，是Ferre的典型风格。

Arnault夫人晚装的背面：简洁现代又美丽妩媚。

CHRISTIAN DIOR这个光辉的名字，是值得这样隆重、盛大的纪念的。他一手制造的美丽人生梦幻，一直持续到今天，并将继续下去。

CHRISTIAN DIOR

（下）

想象力 进入无人之境

by John Galliano

巴黎1997年春夏季时装展，有点儿与往年不一样。时装界在期待一场新的“NEW LOOK”大戏，主角已不是50年前的法国人Christian Dior，而是1960年出生于直布罗陀的英国人John Galliano。CHRISTIAN DIOR这个时装名牌大哥大，像一位50岁（1947－1997）的新郎，迎娶他的第四任“妻子”——DIOR的第五任设计师John Galliano。

媒体宠儿

如此重要的里程碑式的时装瞬间，时尚传媒岂能漠视不理？本来年年季季时尚传媒重兵把守的巴黎，这次更是被全世界的时尚评论界、名店买家和DIOR拥趸们金睛火眼地、屏息静气地盯着、期待着。

“新娘”的盖头掀开了，John Galliano的技艺震惊全场：基本上看不到创始人Christian Dior风格的一丝一毫，但好像是全世界各个民族各种不同文化的妖艳、野性、妩媚、浪漫、性感、风情万种，都融汇在这个亮相——CHRISTIAN DIOR1997春夏高级订制时装展中。而且，这亮相是小荷才露尖尖角，以后的数季，Galliano把各种风格的细节放大，淋漓尽致地发挥。

这个亮相时装展一结束，时尚传媒众口一词地欢呼：巴黎的1997年春夏季，属于John Galliano！

当今的高级时装界，成功的要素是制造话题，令时尚传媒兴奋。也就是说，能够成为媒体宠儿的，就能成为高级时装的宠儿。在这方面，Galliano是个天才。

光看外貌，他的模样平淡无奇。夺目的是那撮奇离古怪的小胡子、一头千奇百怪的发型，或包着花式时时翻新的花头巾，让Galliano一眼看上去就是一副怪怪诞诞、时装“问题儿童”的形象。而这样的形象，正是前卫艺术家们的“指定动作”，新人类的崇拜偶像。如果Galliano还像他的前任Bohan和Ferre那样穿西装打领带，CHRISTIAN DIOR就无需更换设计师了，制造话题更无从谈起。以DIOR2000年秋冬季时装展为例，以DIOR设计师的身份，Galliano出场谢幕时，一件白色针织背心配一条金色闪光长裤，那份随意和满不在乎，傲视一众精心化妆、悉心打扮、衣服行头价值数以美金千元或万元计、一举手一投足均无懈可击的时装展前排观众——世界级时尚传媒猛人和社交界名媛贵妇。如此“浪子”、“反叛”的形象，叫媒体如何不爱他？

左："斑斓的俯冲"的"脚踏实地"版本；
中：时装"浪子"、DIOR的第四任设计师、英国人John Galliaono；
右：荷兰超级名模Karen Mulder，在紧身胸衣和高高的颈圈下，依然谈笑风生。

媒体宠儿毕业于伦敦的St.Martin's College of Art——英国时装界的牛津和剑桥，以创意和精良的制作工艺著称。他的毕业设计系列以法国大革命为灵感，卖给伦敦一家时装公司，很快就售罄。St.Martin的鬼才和怪才，加上极佳的市场反应，为Galliano带来第一位投资者，John Galliano的时装公司于1984年在巴黎创立。

13年来不断地以英国“坏孩子”的形象和怪招迭出、争议频频的设计“轰炸”媒体和时尚界，使得Galliano在入主DIOR之前，竟然已被一本风格严谨高贵的美国时尚杂志宣布为the Four Tops（巴黎四顶尖）之一。四顶尖的其它三位是：法国的CHANEL、英国的VIVIENNE WESTWOOD和意大利的VALENTINO（后两者虽不是法国牌子，但其高级订制时装系列都在巴黎展出）。

媒体对Galliano宠爱有加，因为他的设计极具观赏价值和轰动效应，这正是媒体最需要的。

例如在他为CHRISTIAN DIOR设计的亮相之作中，有一条上身鲜黄、下身桃红的晚装长裙，颜色已极尽抢眼之能事。更吸引的是，出场时还配上一顶“草帽”，但这“草帽”只有帽檐而没有帽子，本该属于帽子的部位，只剩下一个大孔，模特儿的头穿孔而过，于是这顶“草帽”就不是戴在头上，而是戴在脖子上，成了一个颈饰——一个层层叠叠、精工雕琢的颈饰。这袭晚装连颈饰和其它配饰一起，被由美国人主编的法国版《时尚》杂志制作成一个封面专题，那个模特儿还被凌空吊在一个类似秋千的吊椅上，其姿势，十足一份斑斓的俯冲！

民族风情——DIOR借东风

中文中有不少来自英文的外来语。我记得小时候最早用到的一个外来语叫做“士巴拿”（源自英国式英语spanner，“扳手”的意思）。另一个是“菲林”（源自英语film，“胶卷”的意思）。到了70年代末，改革开放刚开始的时候，外来语就更多了，皆因我们的生活出现了很多新意思，例如出租车，粤语叫做“的士”，源自英语taxi。因为近代中国比西方落后了许多，所以我们看到的多是英语作为外来语进入中文的例子。那时还有不少忧国忧民之士在报刊上大声疾呼“清除外来语，纯洁汉语”等，认为这是一种文化入侵，需要“筑起我们新的长城去抵抗”，就像抵抗邓丽君的靡靡之音一样。现在邓丽君的歌成了温柔婉约的经典，而大家张口闭口都是CD、VCD、DVD、internet、.com什么的，也不见得有什么被侵略的危机感，反而.com公司都紧跟潮流跑到美国的Nasdaq上市。

大概英语世界没有万里长城，所以当我第一次在英文时尚杂志中见到cheongsam这个由中文“入侵”英文的外来语时，感觉非常震撼——原来东风早已西渐！粤语管旗袍叫“长衫”，早年移居美国的广东华侨把“长衫”这个词和旗袍这种服装带到美国，美国人就用上了cheongsam（长衫）这个中文外来语，cheongsam这个字还堂而皇之地进入了英文的时尚词典和时装百科全书。

但是，真正让西方的时尚人士和潮流尖端分子cheongsam长cheongsam短叫得震天响的，是英国时装怪杰John Galliano。

东风吹皱一池春水——在Galliano的亮相之作中，清汤挂面式的"东方佳人"招摇过市，这一袭被传媒称为"中国皇后"的晚装，更被好来坞红星Nicole Kidman看中，穿着出席1997年的奥斯卡颁奖典礼。

在CHRISTIAN DIOR1997春夏高级订制时装系列中，Galliano让"东风"微微地吹皱一池春水：不少模特儿以一头短直的黑发亮相，连以一头完美金发最为煞食的德国超级名模Claudia Schiffer也不能幸免，被改造成为清汤挂面式的黑发东方佳人。当然，花枝招展是Galliano的拿手好戏，他给清汤挂面缠绕上类似钟铃的头花。

到了DIOR的1997秋冬高级成衣系列，Galliano继续借"东风"，一借就成功：一袭旗袍领粉红色mohair贴身短裙，令旗袍这古老的中国女服彻底摩登起来。这袭"新生代"的旗袍，质料(mohair)丰满温暖，款式妩媚温柔，在我的眼里，它充满了人性，了无束缚女性身体之虞。虽然在香港的售价高达港币20，500元，仍大受欢迎。DIOR这一季的高级成衣系列里，有不少上身旗袍款、下身超短裙的连衣裙，那些胸前开一个三角形大天窗的设计、那些超短裙腰部扎着的硕大蝴蝶结，活生生地把旗袍来了个大变身，变得性感、青春，而又不失浓浓的中国味。光是那一款旗袍式的迷你伞脚褶裙，在香港，就分别有已故船王的千金、地产界女闻人和社交王后三位名媛一人一件，"撞衫"撞到七彩，可见受欢迎程度。在世界的其它地方，DIOR这一季的旗袍风，掀起全球时尚女士的cheongsam（长衫）狂潮。连大众化的百货公司也跟风热卖旗袍风格的便服，当然是行动自如的上衣或短裙——洋人对长衫的"长"字毫无认识，虽然cheongsam、cheongsam叫得欢。

旗袍也可爱，旗袍也性感——这一袭旗袍领、胸前一个三角形大天窗、腰际扎硕大蝴蝶的超短裙，为旗袍注入"青春羊胎素"，从此旗袍立即变成我的那杯茶。这一季的高级成衣也是Galliano入主DIOR几年来，我最喜欢的一季。

印象中旗袍总和什么妻妾成群、三寸金莲等封建垃圾"划不清界线"，加上近年商店、餐厅、夜总会门口老是站着穿旗袍的年轻"小姐"，旗袍的身份更显可疑。记得多次见到这些"小姐"们穿着单薄的旗袍站在寒风里哆哆嗦嗦地"迎宾"，真觉得这些店的老板不近人情，让青春在旗袍下发抖。所以，旗袍从来不是我的那杯茶。但Galliano对旗袍鬼斧神工的改造，令我对旗袍好感顿生。

DIOR“借东风”，掀起全球女性“中国热”。这袭绮旎的粉红色“旗袍”，抢尽97年秋冬DIOR高级成衣展的风头。当然，在时装展天桥下，香港的名媛淑女们是配搭百褶裙穿着，稍微收敛天桥上的狂野性感。

看这一季的DIOR，还看到了30年代中国所谓“洋场”上的那种细长眉毛加大红脸蛋的典型化妆，不得不佩服Galliano观察的细微，真正抓住那个时代的形象特征——那些满脸通红的30年代妆容，让人联想到的，是胭脂大平卖、大甩卖甚至免费赠送。现在，大江南北到处可见对那个年代的怀旧，从新出的书籍杂志到旧货摊上的广告画老照片。其实要看那个时代的神髓，看DIOR97年秋冬高级成衣展就来得十分到位和真切。

Galliano一向是玩民族风情的高手。荣任DIOR设计师以前，他在90年代中期，已在自己的牌子中玩过日本的和服。日本和服穿在那些欧美超级名模身上，完全没有了日本女人百依百顺、俯首低眉的柔顺劲儿，而是徒具日本的外壳，却整一个西方的、现代的、扬眉吐气女子的形象。不知是否日本和服太累赘了，或者日本这个民族的形象不怎么样，因此没有掀起像旗袍那样横扫全球的中国热。印象最深的是容貌和气质都非常现代的加拿大超级名模Linda Evangelista，穿着那套和服，轻摇扇子扮日本小女人，真的很好玩、很好笑。但是，好玩和好

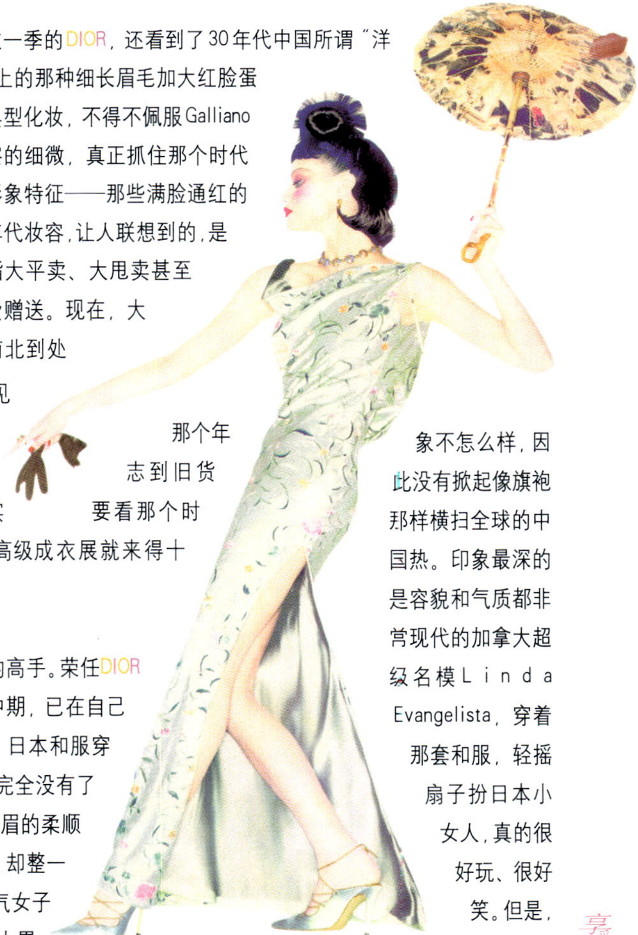

30年代的“十里洋场”的典型妆容：细长眉毛加大红脸蛋。一把迷你小竹伞，尽显东方风情。

笑，不正是时装的目的之一吗？

戏剧顽主

就像天生是吃戏剧这碗饭似的，Galliano经营的时装展，完全不像其它的时装展那样以展示衣服为主。在Galliano的导演下，CHRISTIAN DIOR的时装展成了一出出戏剧。场景有时是豪门的卧室、客厅、沙龙或阳台，每个模特儿一场show只需穿一件衣服（其它时装展需要模特儿快速更衣，再上天桥），进入角色表演，尽情演绎每件衣裙的内容。例如，那个以旗袍为主力的97秋冬成衣展，场景是布置逼真的豪宅沙龙，最后就谢幕在一个阳台上，设计师Galliano白西服加毡帽低垂地出场，左右超级名模美女环绕，场面非常滑稽惹笑。

1998年秋冬的DIOR高级订制时装展，被Galliano搬到巴黎的一个古老火车站Gare d'Austerlitz，上演的是17世纪北美洲的印第安公主Pocahonta为爱情私奔、远渡英伦的真实故事。时装展的观众和摄影师们就散坐在火车站的站台上，看着这列DIOR时装火车喷着白汽，冲破一块大红布驶入站台、驶入观众的视野。而身穿印第安裙的公主Pocahonta，就露天坐在火车头上，脸上一片为爱情争得自由的欣喜。在站台上，公主遇见了盛装的英王亨利八世和法王路易十三。公主和爱人以及随仆们，展示了印第安人色彩斑斓、目不暇给的服装和首饰。下火车时，公主换上了一袭红绿黄三色汇集的大伞裙，裙的衬里是一个金属架！透过公主的眼睛，观众看见了英王亨利八世以白鼬毛作领子的豪华大衣，还有法王路易十三的绿色绣金晚装（全部君王由女模特儿扮演）。最可笑的是，路易十三那顶几乎宽达一米的绿色绣金帽子，就像一艘横放在头上的迷你广东龙舟。哇，好像有点儿不敬——竟敢“皇上”头上撑船？看法王那身豪华隆重的打扮，想赛龙夺锦？好难！

印第安长黑发（左）VS.路易十三的绿色绣金“广东龙舟”帽子。

时装展后，当时的美国版《时尚》杂志的时装编辑、1999年转任《时尚芭莎》主编的Betts，接受ABC（美国广播公司）电视记者采访时，被问及为何她的杂志一直是Galliano的热烈支持者。Betts答："Fantasy。"正是这种超现实的白日梦和幻想，让人想入非非，神游上下五千年，浮想纵横八万里。见惯大世面的Betts，也被引入"剧情"而不能自拔："啊，我真想跳上火车和他们一起呼啸而去！"

红卫兵也性感

不知是否和莎士比亚有关、和英国长期的君主立宪制有关，英国人似乎浑身都是历史和文化，一开腔个个都像文豪似的。所以，在时装界，英国的设计师们人人好像都背靠着一座历史的宝山，生命不息，考古不止。

"女装燕尾服"：纽约曼哈顿的现代气息和英国爱德华时代风格相拥抱的杰作。

不例外地，Galliano就是这样一位考古专家。英国的维多利亚时代、爱德华时代，简直是招之即来、随传随到的款式风格。1998年春夏的高级成衣系列中，就有一袭套装长裙，我把它称作"女装燕尾服"。这"女装燕尾服"的白色上衣是纽约曼哈顿的都会气息，衣脚以至整个"燕尾"部分则是花卉图案的金银缎，衬上一条古董镀银的丝质长裙，尽现爱德华时代的生活和艺术形态，华丽古典得来又被曼哈顿的当代风情"提拔"了一下，是非常出色的宴会服，难怪迷倒从香港到纽约的一众名媛淑女。纽约有一位品味和容貌都非常出众的社交界名媛，就立即穿上这一袭古董和当代相拥抱的杰作，真的叫人心服口服。

1998年的CHRISTIAN DIOR冬装，被Galliano考古考到了13至15世纪的墨西哥Azteca王朝。那些灰白色调的拖地长裙、堆满羽毛的硕大帽子、毛皮滚边的雍容大衣，竟然被命名为运动服。如此大阵仗的结构复杂的冬装，即使穿去看运动比赛，也有行动不便之嫌。称之为"运动服"，真是对时尚分子想象力和常识的挑战。不过，以DIOR一向的豪门贵妇形象和女性化传统为号召，不要说“运动服”了，即使叫“工作服”、“忆苦服”都无所谓。重要的是 CHRISTIAN DIOR 这个显赫名衔，还有这一“运动”系列台型十足的卖相，加上色彩和图案的刻意拼合，就已尽收先声夺人之效。

Galliano 的考古从远古到当代，“考”到哪里哪里亮。几个月后的 1999 年春夏 DIOR 高级成衣系列中，Galliano 从 13 世纪的北美洲墨西哥回过神来，一夜跃进“文革”中。是的，“文革”，60 年代的中国。看来，时光隧道的速度几近光速，Galliano 这位考古专家神出鬼没，上蹿下跳。一时间，巴黎的 DIOR 沙龙中，走来一位位身材高挑的女“红卫兵”。不过，女红卫兵们抹口红、戴大耳环、穿尖头皮鞋、涂红指甲，哇，这在当年，全是被批倒批臭的“封资修”那一套，只有那顶红卫兵帽比较接近原型。红卫兵的军绿色长裤本来没什么“花臣”（花招）可搞，不过，经 Galliano 之手，就变成时髦的阔脚裤，两侧还各有一条红边——挺会抓色彩元素的。不过，最令人刮目相看的，还是那件军绿色上衣：缎子滚边的短袖子（红卫兵也豪华），绝对是 Galliano 看家本领的低胸椭圆型衣领，惟一的一颗钮扣带出露脐装。原来，DIOR 的红卫兵也性感！

这个红卫兵系列一出，议论纷纷，毁誉参半。在香港，居然受到热烈欢迎。看上这套性感红卫兵套装的，多是年轻貌美嫁入豪门的阔太太、少奶奶之类。红卫兵威风八面砸烂“封资修”的时代，她们还是婴儿甚至未出生。她们每年买名牌时装的支出，相当于中产阶级奋斗终生想买“简庄豪宅”的那笔巨款。Galliano 的性感红卫兵装，带给她们的，就是那种淑女之外的新鲜感。人生渴望幸运，审美需要距离。只有在这双重距离和双重幸运之下，性感红卫兵装才会产生美感。

“距离产生美感”这句话，常常让我想起一位给我扫美学盲的老朋友。他上大学时念的是中文系。记得他给我看过他的美学课论文，题目叫做《距离产生美感》。十几年过去了，我一直记得这篇精彩的论文和这位精彩的朋友。名牌世界和纯真年代似乎隔了一个光年那么远。想起那时在中大的树荫下，我拿着这篇论文就赞叹了半天，就像今天看到什么名牌的某件出品正中下怀那样欢呼。但是，那时我们青春无敌，不懂名牌也无需名牌。青春，可不就是最好、最美丽的名牌？

乞丐装解构淑女风格

很多年前在广州上大学的时候，金融系的第一门专业课是“货币银行学”。至今只记得第一条金科玉律——“劣币驱除良币”。说的是黄金等贵金属被人们收藏起来保值，只剩下廉价的金属制成的钱币活跃在流通领域。在课堂之外，我们轻易发现这货币史上的现象在现实生活中，简直是放之四海而皆真理。例如无良、无品的人较之善良、有教养的人更吃得开，等等。

但是，在高级时装界，偏偏是反其道而行之——绝对是“良币驱除劣币”。试问，如果时装不能把我们凡夫俗女变得更美丽、更高雅、更具吸引力，我们还要时装干吗？如果只要服装的实用功能就行了，那岂不把人闷透？所以，在时装发布会的天桥上，我们见到的，总是能把平庸变亮丽、把丑陋隐形、把美丽放大的锦衣华服。也就是说，高级时装天桥上永远是“良币驱除劣币”。

十几年前的一首歌中唱道：“姑娘你对我说，你永远爱着我。爱情这东西

“乞丐装”解构DIOR淑女风格——高级时装天桥上罕见的“劣币驱除良币”。

我知道，可永远是什么？”

问得好。连高级时装天桥上展示的永远的美丽和风华，现如今也被人写上一个大大的问号。而且，这座时装天桥并非等闲之辈，而是以制造美丽华贵梦幻著称的时装大哥大 CHRISTIAN DIOR。Galliano 为 DIOR 设计的 2000 年春夏季高级订制时装系列，以巴黎的无家可归的流浪者形象为灵感，制造了史无前例的乞丐装：烂身烂世的模特儿们的化妆不是煞白的幽灵就是僵尸般的面孔，身上的破衣烂衫千疮百孔，还挂满杯盘碗碟等流浪者的“家当”。更有甚者，连蜘蛛网状的衣衫也上了身。这一回，时装天桥上一反常态地“劣币驱除良币”。

乞丐装并非Galliano首创，记得我的大学时代就曾风行过乞丐装。但那是街头时装，而非高级订制时装。而且旧时的乞丐装也只是“艺术”地衣衫褴褛一番，毫无乞丐生活的“细节”作为饰物附在衣服上。这次的DIOR乞丐装，之所以成为时装界的惊天大新闻，就因为它是出自 CHRISTIAN DIOR 这个殿堂级的名牌。DIOR 向以华丽优美淑女形象著称，这一次，可谓乞丐装解构淑女风格。

欢呼这一“解构”成功的自然大有人在，“创造力惊人、想象力丰富”等溢美之词此起彼伏。但异议的声音也不绝于耳。首先是法国的社会（救济）服务机构：“这是打在无家可归者脸上的一记耳光，对无助的人毫不尊重。”法国《费加罗报》的时装编辑毫不隐瞒她的观点：“花七百万、八百万甚至可能九百万法郎（相当于150万美元）来做一个舞台，为的是上演 Galliano 的‘三分钱歌剧’，……这是最轰动的广告效应。”

面对批评，设计师Galliano毫无歉意。他认为这都是些中产阶级的小资情调，是丰衣足食的人们对无家可归者居高临下的恩赐态度，是他们的自命不凡。而且，其它艺术表现乞丐的作品并非罕见，为什么惟独时装就成了批评的靶子？

作为旁观者，虽觉得这一系列中有些衣服很骇人，但我也觉得如此重的指责真是叫时装太沉重。

这高级时装界的头条新闻沸扬到了DIOR的最大市场美国，纽约的社会（救济）服务机构的负责人的评论，比他的法国同行们要温和得多："我热爱艺术，也能看出Galliano这一季设计的好玩之处。但是，使我不舒服的是，这个系列把无家可归的流浪生活浪漫化，使之成为一种时装宣言。无家可归者衣不蔽体，甚至有穿纸袋的，但这不是他们的时装品味，他们是别无选择。艺术家应该有社会责任感。……我愿意向Galliano发出邀请，利用这次议论纷纷和舆论沸腾的机会，举办一些为无家可归者筹款的活动，以唤起公众对这些弱势群体的关注。"

对于那些为时装而时装的人来说，大家的第一反应是：高级订制时装系列（有别于高级成衣系列），每件"金镂衣"的价钱是下有保底——从美金25000元起，但上不封顶，各位只好充分发挥你的想象力了。如此昂贵的时装之王，竟然处于"一条破席像渔网"的状态（请原谅我想起了《洪湖赤卫队》的这句歌词），设计师的惊人想象力已进入无人之境。呵，还想起了一本书的名字——富饶的贫困。

无限风光在险峰

Galliano成为CHRISTIAN DIOR的设计师，有运气也凭实力。运气当然是克林顿在任的八年，美国经济持续蓬勃，尤其近几年个人财富急剧增加。美国作为DIOR最大的市场，为DIOR带来滔滔生意。

无限风光在险峰——经Love改造后的DIOR乞丐晚装勇夺"化腐朽为神奇大奖"。

至于实力，则要赞一赞这个乞丐系列中的一条晚装长裙。这条裙子出现在2000年的金球奖红地毯上，穿着者是摇滚界红人Courtney Love。对新闻界而言，金球奖是奥斯卡奖的热身赛，金球奖入场式的红地毯两旁是传媒重兵把守的"战略要塞"；对时装界和电影人来说，金球奖是奥斯卡奖的服饰彩排。Love这位前Grunge女王，每次出场都令传媒"谋杀"大量胶卷——惊喜迭出。这次穿起这袭DIOR"乞丐"晚装长裙，不禁让我们眼睛大吃冰淇淋之余，还大赞Galliano实力爆棚。当然，要把这套千疮百孔、衣不蔽体的晚装穿出性感、无邪和美丽的效果，阁下必须拥有像Love一样的“魔鬼”身材加“天使”面孔。欢呼过后，才听到Love透露自己对这袭晚装的“后期制作”：这袭晚装原来连着死老鼠和迷你啤酒瓶，她把这些乞丐家当都剪掉——当然是以“好品味”的名义。呵，时装设计师的好运还包括了顾客的高尚品味。

金球奖这一役，Love大胜，勇夺“化腐朽为神奇大奖”；设计师Galliano也胜出，虽是险胜。但险又算得了什么？Galliano大概牢记着我们中国人民的教导：越是艰险越向前，无限风光在险峰。

玩的就是极端

John Galliano设计的一大特色是饰物繁多，从头到脚没有一个部位闲着。这当然会带挈CHRISTIAN DIOR的首饰生意。在Galliano的DIOR亮相作中，我们对那些层层叠叠的东非颈圈只是惊鸿一瞥。Show完之后，CBC（加拿大广播公司）电视记者采访荷兰超级名模Karen Mulder，问她颈圈是否太紧。Mulder笑意绵绵地答：“是的，真的很紧，同样紧的还有corset（晚装底下的紧身胸衣）。”

到了1997年秋冬高级订制时装系列，Galliano更把颈圈玩到极端——更高、更长、更紧。而且，颈饰也被延伸到胸前，甚至巨大的颈饰加重重叠叠的项链就成了上衣，无惧暴露。再看那些覆盖整个上身的超级巨无霸耳环的“耳坠”，真的叫人目瞪口呆。

目瞪口呆也罢，久旱逢甘露也好，DIOR和Galliano有的是忠实拥趸。在香港，尽管那些东非颈圈让城中贵妇们驾驭不来、动弹不得，但卧薪尝胆、甘之如饴的大有人在。直到最近的两季，颈圈才从Galliano那里失宠，紧跟名牌前进的忠实拥趸们才有机会让脖子稍事休息。我禁不住想象，如果Galliano以后玩头上顶东西的非洲（还有亚洲）的民俗，贵妇们肯定会努力练习、卖力跟进。因为，贵妇们钱太多而生活了无新意，千金散尽也觉闷，来点儿昂贵而又另类的“练习”以供消遣，实在是何乐而不为？我们小时候，一句伟大教导曾经牢记在心：“要奋斗就会有牺牲。”时间来到新世纪和新千禧的前夜，这教导忽然启发了时尚

更高、更长、更紧——像是改装的奥运会口号，其实是Galliano为DIOR炮制的东非颈圈的写照。
选自《时尚芭莎》10/97。

新人类的灵感：要美丽就会有牺牲。

穿DIOR就是穿那份贵妇感觉。然而，在最新的CHRISTIAN DIOR的2000秋冬时装系列里，Galliano让贵妇们转行去干传媒。至于贵妇们是干"铁肩担道义"的第四权力，还是充当喉舌花边，这要视乎你在哪座庙里念经。这一季，Galliano情迷印刷媒体，把Christian Dior Daily（《Christian Dior日报》）印在cashmere山羊毛和雪纺上——当然最夺目的是设计师Galliano的头像啦，然后造成性感透明的裙子、温暖轻柔的外套等。报纸图案布料做衣服也不是Galliano的首创，但报纸图案出现在手袋上，甚至用来做内衣裤，可谓前无古人。你叫新人类们如何不兴奋尖叫？不迷倒全场才怪呢。照顾完内在美之后，Galliano继续照顾各位的外在美——报纸做的晚装手套：想要神秘感的，有从手指覆盖到肩膀的特长手套，配香槟桃色露肩晚装裙；想要性感的，有经典的半袖

超级巨无霸耳环。选自 1997 年秋冬季高级订制时装系列。

More is more(多就是多)。就像一位时装"劳动模范"，Galliano 让 DIOR 淑女们浑身上下都不闲着：从假发、颈部、肩膀、手臂，连手背也覆盖着硕大的饰物。选自 1997 秋冬季 DIOR 高级订制时装系列。

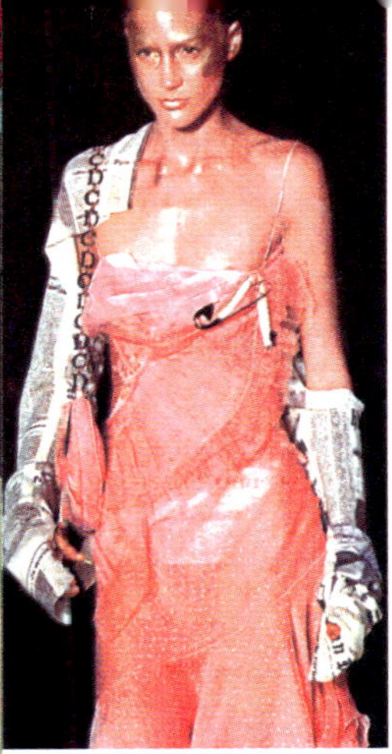

DIOR 淑女改行于传媒——报纸晚装手套配香槟桃色裙子。

手套。加上眼眶四周金灿灿的一大片眼影配金灿灿的唇膏，心理素质差一点的，眼珠子都会看得几乎掉出来。

灰姑娘和王子在哪里相遇？

常常觉得名牌 CHRISTIAN DIOR 就像一座灯火辉煌、声名显赫的歌剧院，经年累月地上演着豪华如梦的大歌剧，舞台上优美的咏叹调颠倒众生，场内衣香鬓影，席上无白丁，场外车水马龙，华灯齐放，把喷泉照射得像彩虹一样。

这个印象怎么得来的呢？可能和 DIOR1998 春夏高级订制时装展有关。

这一季的 CHRISTIAN DIOR 高级订制时装在巴黎的 Garnier 歌剧院举行。Garnier 歌剧院建于19世纪末，是一座向19世纪文化奢华地致敬的气派堂皇的大剧院，高高的圆拱形外墙上

灰姑娘和王子就在这里相遇。中间黑衣者就是那位喜欢“考古”的、古灵精怪的时装“王子”Galliano。

雕刻着巴赫、海顿等伟大音乐家的头像。光看建筑物已有高山仰止的感觉，还要在这儿看DIOR的高级订制时装show，真是大大超值。Galliano在20世纪末，要向20世纪的时装文化奢华地致敬，有什么比在Garnier歌剧院举办时装show更合适的呢？

时装展在柴可夫斯基的《天鹅湖》乐声中开始，打破时空观念，集历朝历代、英法各个王朝的拖地长裙宫娥装款式之大成，这真是如假包换的Galliano风格。现代派简约主义虽成为20世纪90年代的时装主流，但Galliano视现代简约为无物。他的设计总带着浓厚的英国古典宫廷色彩和格调。和美国现代派简约大师Calvin Klein低调地养眼大异其趣的是，Galliano的设计是高调地养眼，一如童话中王子公主云中漫步的浪漫和不食人间烟火。就这样，这场盛况空前的CHRISTIAN DIOR时装展成为20世纪最绮丽的时装梦，让像我这样不愿再为美丽而牺牲的当代懒人们、“爱丽丝”们、“灰姑娘”们，在美仑美奂的19世纪歌剧院里，漫游了一趟高不可攀的时装仙境。

从来，高级时装就是为去BALL（豪华的社交场合）而存在。法国版《时尚》杂志的主编、一位满脑子现代派新思潮的美国人，看完show后发出赞叹：“John Galliano不仅创造BALL衫，今天他更创造了一个BALL。没有BALL，灰姑娘怎会邂逅王子？”

BURBERRY

经典格子万人迷

在刮风或下雨或雨雪霏霏的日子里，美国总统、英国女王、华尔街的投资银行家们以及活跃在华尔街上的财经记者编辑们、各公司机构的高级白领们、PUNK（朋克）派掌门人时装设计师和流行音乐巨星之间，有什么共同点？答案是：都穿 BURBERRY 风衣。

BURBERRY 浓浓的英国贵族气质。选自1994年秋冬季广告。

一个半世纪的风衣经典

美国前总统布什，步下“空军一号”专机时，向欢迎人群招手致意，风一吹，掀起风衣一角，露出 BURBERRY 只此一家别无分店的格子衬里。

英国伊丽莎白女王的身上，不时可见 BURBERRY 的招牌格子裙和头巾；查尔斯王子更穿着 BURBERRY 格子苏格兰式短裙，在野外布满鹅卵石的河滩上，以一副探险家和大自然热爱者的姿态，亮“相”于各种媒体上。

世界各地歌迷无数的美国流行音乐天皇巨星Michael Jackson（麦克·杰克逊），总把自己包裹在墨镜和口罩后面，却毫不介意让自己的BURBERRY风衣和BURBERRY格子长围巾大出风头。

左：查尔斯王子；右：美国超级名模Turlington穿起BURBERRY经典格子超短裙，德高望重的名牌立刻青春焕发。

有英伦时装“西太后”之称的PUNK派掌门人、设计师大姐大Vivienne Westwood，设计风格向以前卫出位和衣不惊人死不休著称，居然也是BURBERRY的拥趸，毫无同行相轻的芥蒂。

在80年代的奥斯卡最佳故事片《克莱默夫妇》中，也有BURBERRY风衣斯文而又干练的形象，这次它出现在女主角克莱默太太的身上。克莱默太太由好来坞擅长扮演当代知识女性的奥斯卡影后（1983年《苏菲的选择》）Meryl Streep（梅丽尔·斯翠里普）出演。BURBERRY风衣在职业妇女中的受欢迎程度，或许会令19世纪的BURBERRY创办人Thomas Burberry始料不及吧。

左上：Michael Jackson；右上：英伦时装“西太后”Vivienne Westwood；右：美国前总统布什；左：电影《克莱默夫妇》中的女主角斯翠里普。

1997年，实力雄厚的英国电话公司BT提出收购美国长途电话公司MCI。美国靠小鱼吃大鱼的神奇方式迅速崛起的世通电话公司（Worldcom）随即也加入收购竞争。更戏剧性的是，随后还有美国长途电话和通讯设备巨头GTE加入战团。这场跨越大西洋两岸的世纪通讯业收购战，吸引了所有世界级传媒的竞相报道。在GTE“宣战”的新闻发布会上，其总裁就穿着一件BURBERRY风衣进场。BURBERRY风衣作为商界人士出门必备的户外“制服”的形象，无意中通过电视节目，再次传到世界各地的财经界人士和财经爱好者的眼中。

表妹在纽约念时装设计，有一次谈起纽约曼哈顿尤其华尔街上的步行速度，她用风衣的飒飒飘扬的“英姿”来描述她这位未来的时装设计师对“时间就是金钱”的认识。咱业余华尔街崇拜者和时尚爱好者，到了纽约，果然在华尔街上见到数不尽的BURBERRY风衣。商界制服真是名不虚传。

“家庭出身”：专业人士

能够吸引各行各业有品味有见识兼有钱的精英成为它的忠实顾客，而且吸引力持续一个半世纪，这自然不能用“幸运”二字来解释。

事实上，BURBERRY风衣最早就是为专业人士设计的。如果要求各名牌自报家门，那么BURBERRY定会气定神闲报上“家庭出身：专业人士”。

1856年，英国人Thomas Burberry创立了以自己名字命名的公司，专门制作防风挡雨的风衣。当时的客户主要是常需出诊的医生、足迹遍及从北美到南非的探险家，以及城市里需要体面地外出工作的律师和商人等。想想伦敦和整个英伦三岛的潮湿阴雨气候，就可以明白防水保暖而又挺括舒适的BURBERRY风衣是多么实用和体贴消费者，也可见这牌子的经典地位来自最实际的顾客的贴身感觉，而非天马行空无中生有的“创意”。

为什么有的人拥有两件以上的BURBERRY风衣呢？原来英国人有狩猎的传统，又热爱户外活动，加上那时还没有汽车，人们更热爱郊外骑马。所有这些实际的运动需要，都成为

我最喜欢这种低调的穿衣之道：只要拥有一点点（领子），就诉尽心中情。选自1996秋冬广告。

BURBERRY 创造新产品的灵感。除日常穿着的风衣外，他还增加了另一种类型的风衣，专门供人狩猎和骑马时穿着。BURBERRY 这种崇尚“运动的自由”的哲学，不仅体现在他的风衣设计中，“跃马奔腾”的图案更成为 BURBERRY 的标志，出现在风衣、围巾、帽子、手袋、皮箱、旅行袋和钱包以及笔记本等所有 BURBERRY 产品中。

BURBERRY 来啦，PRADA 请接招！

名牌的经典地位固然是无价之宝，但如何吸引年轻一代的顾客，是21世纪对各历史悠久的名牌的新挑战。

1998年初，BURBERRY聘请美国女强人Rose Bravo为公司的首席执行官（CEO），引起时装界的热烈关注。Bravo何许人也？她是美国时尚名牌第一店Saks Fifth Avenue的前总裁，以精力旺盛和思维充满动感著称。时装界的关注很快有了下文：1998年初，这位新总裁给BURBERRY的广告换上了年轻的神髓——BURBERRY的招牌格子图案不仅出现在年轻男女的大衣、短裙、衬衣和帽子以及围巾上，更出现在童装和宠物的"衣服"上。这一招真灵，BURBERRY因此吸引了不知多少年轻的眼睛、年轻的心！

从风衣、挂包、鞋到宠物的毛衣，皆由BURBERRY一手包办。那份舒适、随意和安逸，自然流露。选自1999秋冬广告。

对时尚界来说，女强人新总裁带来的更大震撼，莫过于BURBERRY要出风衣以外的时装系列！在潮流中坚分子的翘首盼望中，BURBERRY首席设计师花落谁家之谜终于揭盅——意大利人Roberto Menichetti，当代简约名牌JIL SANDER的前助理设计师。

新设计师Menichetti出身于纺织世家，在JIL SANDER麾下服务期间，曾协助JIL SANDER开发出不少极具20世纪90年代高科技特色的布料。他对布料感觉的敏锐和对开发新材料的热忱，简直和BURBERRY的创始人Thomas Burberry心有灵犀。Thomas Burberry对布料研制情有独钟，他发明了华达呢（Gabardine），并用这种防水功能极好的布料制作风衣；他还设计出150年后仍魅力不减的BURBERRY独特的格子图案。

戴安娜——威尔斯王妃纪念格子，新一代偶像级格子图案。

大概是宝剑赠英雄吧，BURBERRY最近刚获得授权，设计生产“戴安娜——威尔斯王妃纪念格子花呢”。虽然首先面世的仅是戴妃纪念花呢披巾，但已有时装评论预言：这一戴妃格子图案将会和经典的BURBERRY格子并驾齐驱，成为新一代偶像级格子图案。

以女装打头炮，新设计师Menichetti为BURBERRY操刀的首个时装系列于1999年春夏季推出。窄身皮风衣、摩托车越野赛式样的长裤和夹克、帆布绑腿、纯棉白色直身长外套、摩托车越野赛短靴，当然还有1999年春夏时装天桥上的大热项目——贴身背包和贴身挂包，一登场就跃上“浑身是袋雄赳赳”的青春前线，并带着特有的英国式的前卫。Menichetti对帆板、摩托车越野赛、滑雪、冲浪等多种体育项目的热衷，使他的设计带有明显的运动审美倾向和极佳的实用功能。这既是BURBERRY崇尚“运动的自由”的传统，又是20世纪末21世纪初的时装大趋势。难怪时装评论界高呼：BURBERRY来啦，PRADA请接招！

1999春夏的“返老还童”变身作——跃上青春前线。

经典格子万人迷

曾看过一个BURBERRY的平面广告：一位年轻女子，身穿杏色格子中大衣，脚穿一双虎皮斑纹高跟鞋，头上却是一顶西班牙斗牛士帽子。很喜欢这样的搭配，因为年轻，所以可爱；高跟鞋带来淑女味，斗牛士帽却又引出那份狂野不羁。原来英伦经典格子也可穿得如此随心所欲，如此漫不经心。你说年轻好不好？

BURBERRY的年轻，不仅在"火星撞地球"般的搭配上，更在多样化、年轻化的出品上。能够想象和总统、王室、跨国公司CEO这类神色凝重的大人物联系在一起的BURBERRY，现在也出诸如黑色细吊带针织小背心、杏色格子迷你百褶裙这类时尚新人类的恩物吗？这样的一身BURBERRY打扮，再加上final touch——杏色格子小丝巾和一双黑色芭蕾舞鞋，绝对青春无敌万人迷！明眼人一看，难免拍案叫绝！谁让杏色格子这BURBERRY的招牌经典太深入民心呢。

左：加拿大超级名模Harlow，一身学院式打扮，最抢眼的就是那顶BURBERRY招牌格子图案帽子，既经典，又青春。

见过这少女万人迷版的BURBERRY，当再见到杏色格子的渔夫帽、女内衣之类，及至新出炉的蓝白格子系列衬衣和杏色newell马裤时，自然不再怀疑BURBERRY也可以很"学院feel"啦。趁机回忆你的大学时代吧。

神来之笔，翻身道情

迷上青春洋溢的新一代BURBERRY的，除了斯文庄重的老顾客和活力四射的新人类拥趸之外，还有时装界的新人类设计师，于是在2000年的秋冬季纽约时装展上就爆出了BURBERRY的幽默版。但这幽默版并非出自BURBERRY自家手笔，而是出自美国一位新登场的年轻设计师Miguel Adrover。这位仁兄的杰作是：把BURBERRY风衣彻底大翻身——BURBERRY的招牌格子衬里和衣袖丝绸衬里被翻到外面作面料，原米黄色风衣的面料继续

神来之笔、翻身道情。
选自《时尚》04/00。

服役作领子、束腰带和翻袖口。这真是令人忍俊不禁的神来之笔！咋一看，还以为BURBERRY玩变奏曲玩到了纽约。不是有作曲家把传统民歌《绿色的衣袖》玩出《绿色的衣袖随想曲》吗？这一回连美国版《时尚》杂志的主编都盛赞不已："经典的BURBERRY风衣一被'翻身'，就成了一件剪裁一流的漂亮裙子。这份幽默和想象力，正是我们最希望从一个设计新人的作品中看到的。"

这也是我所见过的所有时装设计师的新登场中，最具幽默感最好玩的一幕。相信凡是看过2000秋冬季纽约时装展的人，都会牢牢记住Adrover的名字。人们常用一曲难忘来形容那些余音绕梁百听不厌的古典名曲。这妙不可言的"BURBERRY幽默版"，看在我这民歌爱好者眼里，立刻成了一曲21世纪的新版"翻身道情"或《翻身道情随想曲》。

少年时代读福尔摩斯探案集，那种惊怵的感觉至今仍在，但故事内容都忘记了。现在留在记忆中的，还有那些插图：大侦探福尔摩斯和他的朋友华生医生走在19世纪冷雨淅沥的伦敦的街道上，雨丝泼打着昏黄的街灯，他俩穿着风衣，戴着防水帽，叼着烟斗，走得从容不迫，却急坏了少年的我——真怕那些凶徒把福尔摩斯和华生医生也杀了。那时没有名牌的概念，但依稀记得福尔摩斯是有邮寄地址的，

BURBERRY宠物旅行箱。选自《时尚》12/98。

BURBERRY 新潮母子装，选自2000秋冬广告。

一个BURBERRY的婚礼——无所不能、无处不在的BURBERRY。最可爱的，是蛋糕旁那个插着鲜花的BURBERRY袋。选自2000年春夏季广告。

从探案集初版至今一直有读者从世界各地给他和华生医生写信寄圣诞卡。现在大概增设了e－mail（电子邮件）地址了吧。要不要发个e－mail去问问："福尔摩斯和华生医生穿的是否BURBERRY风衣？"

从专业人士的风衣制服，到现今如此婀娜女性化的"花招"，BURBERRY经典时髦两不误。

FENDI

高贵也皮草 摇滚也皮草

时尚是经济指数的反映。自70年代以来，世界经济的急剧发展和膨胀，使承受得起名牌的昂贵价格的人越来越多。有求就必有供，于是时尚名牌这个馅饼被越做越大，近10年更有名牌空间过于拥挤之感。时尚又是个日新月异变字当头的家伙，在新旧名牌的汪洋大海中如何保持不沉的魅力，真不知耗费了多少老字号的整容术，熬白了多少新面孔的少年头！

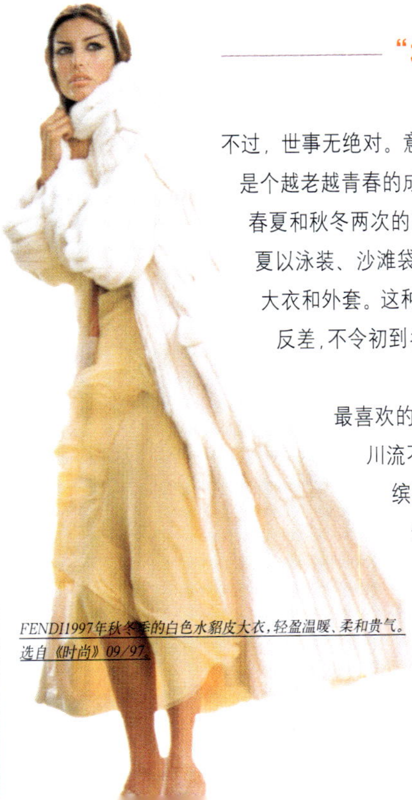

FENDI1997年秋冬季的白色水貂皮大衣，轻盈温暖、柔和贵气。选自《时尚》09/97。

“极端”的吸引

不过，世事无绝对。意大利的裘皮／皮草／皮革老字号FENDI就是个越老越青春的成功范例。初被FENDI吸引，是发现它每年春夏和秋冬两次的时装展上，展出的是两大“极端”出品：春夏以泳装、沙滩袋和太阳帽为主角，秋冬则满台裘皮／皮草大衣和外套。这种一热就热到赤道、一冷就冷到北极的强烈反差，不令初到名牌世界来报到的新人类印象深刻才怪呢。

最喜欢的是FENDI1995年的春夏系列，时装天桥上川流不息的嫩黄、粉红和雪白的泳装，以及色彩缤纷层层叠叠的手镯，加上柔软透明的超大宽边沙滩帽和同质同色的沙滩袋，好一派轻盈潇洒青春亮丽，和前一季（1994年秋冬季）的雍容华贵色泽深沉的裘皮/皮草出品大异其趣。

FENDI的春夏风情。
选自1997、2000春夏广告。

娘子军和党代表

FENDI这个老字号的另一“极端”之处是它的的“领导核心”。FENDI的创始人Adele Casagrande小姐于1918年在罗马建立自己的裘皮／皮草／皮革公司，业绩非凡。1925年，她和Edoardo Fendi结婚，婚后以夫姓FENDI为公司重新命名。看到这儿，女权主义者不用沮丧，大男子主义者也无须得意忘形——风物长宜放眼量呢。Fendi夫妇去世后，公司交由他们的五个女儿经营，现在更有外孙女们加入管理阵营，全女班“娘子军”兵强马壮。大概是“娘子军连”都欢迎“党代表”，FENDI的“领导核心”里的“党代表”是高级时装界大名鼎鼎的Karl Lagerfeld——巴黎名牌大姐大CHANEL的继任设计师。Lagerfeld从1962年至今，一直是FENDI旗下裘皮／皮草和成衣（包括那些夺目迷人的泳装）系列的首席设计师。如此长情融洽的宾主关系，是充满势利眼和急功近利的时装界里的一个异数。

爆棚的创意

Lagerfeld没有浪得“时装金童子”的虚名。30多年来他为FENDI设计的裘皮／皮草系列，他对裘皮／皮草的开创性处理，可谓出神入化、点石成金。经过Lagerfeld的神奇之手，真裘皮／皮草的外观具有了人造毛皮的现代感却不失高贵；人造毛皮又可以印出像锦缎一样的花式和效果。

Lagerfeld确实创意爆棚，他不仅破天荒地将一些原来被视作非正统和不登大雅之堂的动物毛皮，如松鼠皮等引入高贵的裘皮/皮草系列，并且曾“反潮流”地在牛仔布大衣内镶上名贵的水貂皮衬里。在1993年的秋冬系列里，Lagerfeld的新意思还包括了收起来是一个拉链小袋子、打开来就是一件长大衣的裘皮设计。如此的童心和幽默是FENDI青春的源泉之一。

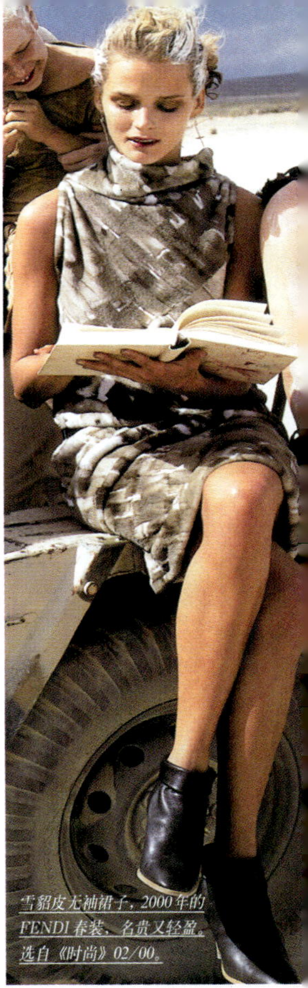
雪貂皮无袖裙子，2000年的FENDI春装，名贵又轻盈。选自《时尚》02/00。

环保的挑战

设计师才情横溢，加上FENDI制作手工技艺超卓，FENDI的裘皮/皮草生意如日中天。怎料到近十几年来环境保护意识深入民心，动物保护组织对裘皮/皮草业穷追猛打。每次去纽约，我都会去位于第五大道上的欧美时尚名牌“集中营”——Saks Fifth Avenue流连。在秋冬季，不止一次地，在门外都看到动物权利和环保组织的示威。示威者举着动物的标本或动物被虐杀时的情景图画，展示一种血淋淋的效果。

FENDI以裘皮/皮草出品闻名于世，不仅是名媛阔太的心头好，更是环保和动物权利组织的重要目标。所以每次FENDI的时装发布会，都警卫森严，通常是这边厢名店买手和时尚传媒人鱼贯入场，那边厢环保示威者群情汹涌对入场者大声疾呼。警察们对两边厢都笑容可掬，这可能是意大利人开朗乐观随和性情的写照，但总体场景大概可称得上“灰色幽默”。

美丽性感的示威

几年前，还有过一次超级名模参与的反裘皮/皮草（不是具体地反某个时装牌子）事件：一群超级名模裸体拍照，身上只裹着一条大标语，上写“如无衣服可穿，我们宁可只穿自己的皮肤也不穿动物的皮肤”。这事件轰动一时，成为高级时装界和环保界的热门话题。这大概可获选为“20世纪最美丽最性感的示威”了。

对一浪高过一浪的环保浪潮，FENDI现任掌舵人Carla Fendi女士颇有风度地回应道：这是自由和民主的代价，我们也乐意接受。然而，一个自由的社会，理应让不同的意向和价值观共存。你不喜爱的东西并非等于别人也不喜爱。穿裘皮／皮草服装委实不应受到歧视，我们也应尊重别人的选择和取向。

FENDI走在大路上——五彩缤纷的FENDI夹克。选自2000秋冬广告。

FENDI也不是光停留在公关辞令上。虽然真皮制品仍是FENDI的主导产品，但裘皮／皮草出品现在已突破纯野生动物真皮的老观念。人工养殖的动物真皮不失为各种价值观念都较易接受的妥协，真皮和人造毛皮和谐统一在同一大衣上也是很有品味的选择，更开放的头脑还可以接受全人造毛皮的出品。人造毛皮叫做Fake Fur，设计师Lagerfeld说："我不称之为Fake Fur，我叫它Fun Fur（好玩的皮草）。"一字之差，令深具环保意识的年轻一辈现代派时尚人士击节欣赏！这就是四两拨千斤的"大师示范课"。

FENDI雪貂和水貂皮鸡尾酒裙，突破貂皮制作大衣的传统框框。选自《时尚》09/00。

皮草也摇滚

皮草／裘皮从来就是高贵华丽的等义词。不过，对创意如天马行空的Lagerfeld来说，没有什么框框不可以打破。

看FENDI的1999年秋冬系列，才知一向贵气庄重的皮草／裘皮也可以做到很嬉皮，很年轻，很未来主义。连吊带背心也可以用皮草／裘皮来做，不一举

镶嵌水晶的FENDI水貂皮三角背心，一举攻陷青春无敌新人类的领地。选自《时尚》09/99。

攻陷年轻人心爱的领域才怪呢。还有用料上的突破：有薄如纸的小山羊皮，缀有钻石、珍珠和水晶的马毛及皮草等等，不仅使皮草/裘皮看着轻松，而且穿起来也觉得轻盈舒适。此外，1999年春夏季的黑白乳牛图案系列好评如潮，于是再接再厉在1999年秋冬季推出黄色配咖啡色的鲜艳乳牛图案系列，再显FENDI无人可及的皮草染色技艺。

现代女式套装的开创者CHANEL说过：如何穿衣服比穿什么衣服更重要。FENDI的1999年秋冬系列，更前无古人地以牛仔裤陪衬裘皮大衣，有型有款到不得了！天桥上示范这套"摇滚皮草"的名模Stella Tenant，是一位英国公爵的外孙女。呵，原来皮草也可以很摇滚！正如贵族也可以很牛仔一样。各路ROCK姐ROCK妹们，各年龄组的"摇滚永驻我心"一族，不得不对FENDI刮目相看了！

Baguette袋旋风

提到皮革制品，我们就会想到意大利。虽然FENDI以皮草/裘皮著称，但FENDI皮具如手袋、箱包和皮鞋等也深受拥趸们的热爱。其手袋、旅行袋和箱包的价格更不是等闲之辈可以承受。当然，对那些购物无须看价钱的消费阶层来说，FENDI价钱"高贵"的袋袋箱箱是物有所值。资料显示近年FENDI皮鞋的华人市场有上升趋势，那些大卖FENDI倒扣双

1996年秋冬季的FENDI倒扣双"F"标记的箱包系列。选自1996秋冬广告。

好来坞一个影星家中衣帽间里的袋柜：第二层中间的黑色 Baguette 袋和第三层的三个不同图案和质料的 Baguette 袋，都是疯狂扫货的战利品。

"F" 标记的高调款式，据说最受中国市场的欢迎。

1999 年的春夏季，FENDI 的 Baguette（长面包）手袋风头甚劲，不仅在 FENDI 的时装发布会天桥上招摇过市，更创下在香港卖到街知巷闻、在米兰总店卖至断市的记录。名媛贵妇们几乎人手一个，衣柜里存放的就不止一个了，恨不得人类的挽手袋习惯变成：手袋除非不拿，一出场就得成双成对，以提高这些疯狂扫货战利品的曝光率。

见到旗开得胜，1999 年秋冬季和 2000 年的春夏季，FENDI 继续猛推 Baguette 袋，材料从最贵气的镶嵌宝石到最平民的牛仔布都包罗万有（但价钱就绝不平民），以满足各位时尚人士多姿多彩的生存状态。

正所谓"瘦田无人耕，耕开有人争"。FENDI 刮起的这股 Baguette 旋风，吹得其它皮具配件名牌也晕乎乎了。于是，不少牌子也出同类型的袋，反正市场反应照样热烈。况且，FENDI 的 Baguette 袋绝对不是"瘦田"，而是如假包换的"肥田"，看那价钱你就知有多"肥"了。

一家美国时尚名店为毛皮 Baguette 袋做的广告：场景是画家的创作室，暗示 FENDI 超人的毛皮染色工艺。选自《时尚芭莎》04/99。

潮流兴年轻化。1999 年春夏季的 FENDI 真够年轻真够摩登的，用色大胆至橙色配绿色、粉红衬鲜黄的地步。这自然令传媒和时尚新人类眼睛大吃冰淇淋，叹为观止。不过，一看到那白色针织吊带背心配浅桃色皮腰封、再加上前短后长的嫩黄色超短皮裙，老天！自问没有模特儿身材的芸芸众生们，还不赶快去健身房锻炼？

FENDI 从贵妇摇身一变，变成青春无敌。问你服否？这是我最喜欢的 FENDI 出品。选自 1999 春夏系列。

后记

如果没有我的老友、好友、净友、督促友杨苗燕的邀请、督促、热情鼓励和慷慨赞扬，这本书将无从谈起。

1998年9月，我从美国飞到北京看太庙版的普契尼歌剧《图兰朵》，苗燕从广州飞到北京会我。我们匆匆和几个狐朋狗党相聚几天，到了机场临挥别前，苗燕才提起要我写一本时尚的书。我爽快答应。因为在我心中，早有一个计划，要写一本时尚名牌历史故事的书。

最初，是想为我最喜欢的《南方周末》写名牌历史专栏，后因报纸版面和读者对象问题而搁浅。但是，我和《南方周末》的缘分，始于它的试刊——那时的主编每周给我父亲寄一份报纸，我直至洋插队十几年后的今天，仍是它的忠实读者。到了1997年7月，意大利时装设计师GIANNI VERSACE遇刺身亡，我写了一篇纪念VERSACE的稿子给《南方周末》时尚版。很快，就收到编辑蔡菁的回复：寰宇版已做了专题报道VERSACE事件，你的稿子不刊登了，但欢迎今后多多支持时尚版。后来，我就给时尚版写过从时装角度纪念戴安娜王妃的稿子，写过1998年奥斯卡颁奖典礼的时装专题。所以，我的时尚写作，是从《南方周末》起步的。

我要感谢蔡菁——我的第一个编辑，她对时装的敏锐感觉、她的热情友善、她的青春无敌，使我的时尚写作有一个充满自信的起点。能够为《南方周末》写稿，我觉得非常荣幸，因为《南方周末》是故乡广州的骄傲，它从大学时代开始，就走进我的精神生活，至今仍是我最爱的中文报纸。

1997年秋天我回广州度假，蔡菁告诉我，广州一本新的时尚杂志《希望》，听说我有意写名牌专栏，非常欢迎。但我那年正在建房子，不敢答应。到了1998年秋，当苗燕在北京机场一发出写书的邀请，我就想起这些未有机会写出来的名牌故事，所以才有爽快的答应。

但是，答应的爽快不等于交稿的爽快。1999年是我的本命年，这一年的大部分时间，我都生活在水深火热之中，无心情写稿。所以，这本小书的写作，时间跨度就显得特别大。

进入2000年，我再也没有籍口了，只好直面一个拖拉懒散的自己。为了催我交稿，苗燕软（热情鼓励加慷慨赞扬）硬（在电话里对我说："我快要被你气死了！"）兼施，真是难为她了。她大概从来没遇过像我这样懒散拖拉的作者。苗燕是"不用扬鞭自奋蹄"的、风华正茂的、领奖领到手软的千里马——无论写书还是编剧。而我，是断鞭千条才挪一寸的古道西风老马。

我要感谢苗燕，不仅为了她心里常有我这匹古道西风老马，还要感谢她把我介绍给她的"老板"黄树森和她的师弟谭庭浩——这套"流行蛊"系列丛书的主编和策划。

今年春假，苗燕到加州探望在那里探亲的黄老板和老板娘。她把我的稿子给黄老板看。黄老板说了不少鼓励我的话，苗燕又现场为"流行蛊"丛书炒作一番——在电话里为我朗诵老板带来的三本样书的片段。其实，我是苗燕指向哪里，我的书稿就奔向哪里——老马跟着千里马跑。只是，那些先锋前卫青春无比的片段，包括黄老板写的丛书总序，让我惶恐万分——我觉得自己就像一位老祖母，混迹在一群花季少年中。后来，黄老板看了我的稿子《现代人的心情、品味和空间》，给我写了一封信，把我的稿子提到美学的高度来评论，让我这个惶恐的"老祖母"，可以继续跟着花季少年们及其领队黄老板勉力前进。

当然，若靠我自己，必定会掉队。但是，我有苗燕和谭庭浩这两台推土机拼命推着，才不致半路出局。这两台“推土机”是从哪儿来的呢?

苗燕是我高中文科班的同学，我们的友谊已有20年了。忽然想起美国总统肯尼迪时代的白宫社交秘书，她就是肯尼迪夫人的同学。当肯尼迪当选总统后，肯尼迪夫人立即邀请她的同学、欧美著名的社交礼仪作家、美国珠宝首饰名店TIFFANY&CO.的前任公关首脑Baldrige女士当白宫的社交秘书。这位同学立即放下手上的写作计划，走马上任，成为肯尼迪夫人的社交得力助手，为白宫安排无数的国宴和艺术表演。可见，一个人有什么样的同学，就可能有什么样的人生。

1997年秋天我回广州度假，有一天苗燕打电话邀我到中山大学晚饭。我很犹豫，因为第二天就是《南方周末》的截稿时间，当晚我要誊清一篇情侣香水的稿子给蔡菁。苗燕豪情万丈地打保票:“来吧，稿子我为你抄。”到了饭店，才知苗燕还请了谭庭浩和夫人许芸，这是我第一次认识谭庭浩夫妇。苗燕一边为我抄稿子，一边对当时任职于《南方周末》的谭庭浩抗议道:“瞧，你们《南方周末》的编辑，就是这样叫作者食不甘味的。”谭庭浩“大义凛然”地答:“对，这就是《南方周末》。”我怎么忍心让这顿晚饭的女主人苗燕埋头为我抄稿呢? 我收回草稿，回家后自己开夜车抄好。这顿晚饭，使我感到广州真的大有希望，因为我在饭桌上见识了广州各行各业的年轻精英。

不过，真正让我体会到“这就是《南方周末》”的敬业精神的，是在今年我正式开始写这本小书之后。每次写完一个名牌，我都收到谭庭浩热情洋溢的评论和中肯的指导意见。他的热情，不仅是编辑对作者的热情，更是一个编辑对自己职业的热情。这种热情，让我既钦佩又羡慕，毕竟，不是每个人都有福气从事自己热爱的职业的。自今年春假以来，我上班时就常常收到苗燕的电话，报告说：谭庭浩又来e－mail

了——谭庭浩给我的每一篇评论、指示和催稿电子邮件，都同时CC给苗燕。每次我总是做贼心虚地答："黄世仁又催租逼债了。"然后我俩在电话里同声哈哈大笑。当然，苗燕的催租逼债本领绝不在谭庭浩之下，所以，我又称苗燕为"女黄世仁"。

有时，我对自己的稿子特别没信心，所以特别盼着男女"黄世仁"的评论和回音。可能是为了鼓励我写完这本小书，所以我常常都能盼到慷慨好评。这让我想起小时候的一首民乐合奏《北京喜讯到边寨》，我就把谭庭浩的e－mail叫做"广州喜讯到边寨"。我最喜爱的时装设计师GIVENCHY退休时说："我认识所有最好的设计师，我拥有最好的顾客，我知道，拥有这样的机会，是生命的一种奢侈。"我也套用这个句型练习造句：拥有这么敬业这么有品味的编辑，是我的时尚写作中的一种奢侈。

写这本书的整个过程中，我想得最多的，是对我的审美观影响最大的一个人——我的妈妈。

我从小就觉得妈妈容貌身材完美无缺（只是遗传学在我身上出了故障），哪怕是"文革"时期的一件粗布衣服，穿在我妈妈身上，都显得美丽动人。我就在那个灰暗的年代，傍着美丽长大，这是多大的幸运。也因为有这样一位"天使面孔、魔鬼身材"的妈妈，使我虽然对外貌很自卑，但也很少在日常生活中见到什么美人——妈妈把我的审美尺度吊得高高的。妈妈使我认识到：衣服再美丽，都不如人自身的美丽和气质来得重要。真正决定形象的是穿衣服的人，而不是衣服。这个底线贯穿了我享受名牌的全过程。

我还要感谢我的爸爸，他非常细心地为我搜集和时尚有关的资料。当然我也遗传了爸爸喜欢搜集资料的习惯，只是在整理和保存资料的条理方面，

遗传学再次在我身上发生故障。如果有贼光顾我的书房，他一定以为来迟了一步——这儿刚刚被人打劫过？

还有一个人我应该感谢的，那就是我的伯父。他知道我喜欢时装，每当看到有关的资料，都会寄给我。这本小书，真的凝聚了不少亲人朋友对我的关爱。

写这本小书，不仅让我有机会写出我对时装的热爱，还让我想起了许多的往事和故人。我把第一篇时尚稿子《留得长艳春华》重写，给苗燕审阅后，她回电话问我："这个题目特别棒，没想到你写出这么有水平的文字。"我一听就乐了：编辑的眼睛真历害，这哪里是我的文字？这是我爸爸献给朋友的一副挽联中的最后一句。我很小的时候，就见过《鲁迅和青年版画家在一起》那幅照片，见过照片上的黄新波伯伯。我爸爸很喜爱黄新波伯伯的木刻，所以我见过不少新波伯伯以鲁迅诗意为题材的木刻。新波伯伯去世时，父亲率领我们全家献挽联，是集新波伯伯的画题而成，下联是：冲出温室玫瑰，留得长艳春华。《冲出温室玫瑰》和《春华长艳》分别是黄新波伯伯两幅木刻的画题。《春华长艳》还登上了新波伯伯一本同名版画集的封面，那幅版画是纪念鲁迅先生的。小时候的事情记得特别牢，所以这句挽联成了3年前我的第一篇时尚稿子的题目。

写这本小书，是我喜欢的一件事。在这件事完成的时候，我要再次感谢苗燕、蔡菁、谭庭浩和黄老板。

做成一件喜欢的事，实在是人生的一种奢侈。

黄晓

2000年10月2日于美国

图书在版编目（CIP）数据

享受名牌/黄晓著，——广州：南方日报出版社，2001
（“流行蛊”系列丛书）
ISBN　7-80652-069-4
Ⅰ.享…　Ⅱ.黄…　Ⅲ.畅销商品，名牌-世界-通俗读物
Ⅳ.F760.2-49

中国版本图书馆CIP数据核字（2000）第55237号

享受名牌　　**黄　晓　著**

出版发行：南方日报出版社
地　　址：广州市广州大道中289号
电　　话：（020）87373998-8502
经　　销：全国新华书店
印　　刷：广东信源彩色印务有限公司
开　　本：850mm×1168mm　32开　印张：9
字　　数：100千字
版　　次：2005年9月第2版第1次印刷
定　　价：48.00元

投稿热线：（020）87373998-8503　读者热线：（020）87373998-8502
网址：http://www.nanfangdaily.com.cn/press　http://ww.southen.com/ebook
如发现印装质量问题，影响阅读，请与承印厂联系调换。

流行蛊系列丛书